PETIT GUIDE DE SURVIE DES ÉTUDIANTS

Marie Lambert-Chan

PETIT GUIDE
DE SURVIE
DES ÉTUDIANTS

Illustrations de Benoît Gougeon

Les Presses de l'Université de Montréal

Catalogage avant publication de Bibliothèque et Archives nationales du Québec et Bibliothèque et Archives Canada

Lambert-Chan, Marie

Petit guide de survie des étudiants

Comprend des réf. bibliogr.

ISBN 978-2-7606-2778-9

1. Étudiants – Habiletés de base – Guides, manuels, etc.
2. Étudiants – Budgets, temps.
3. Étudiants – Psychologie. I. Titre.

LB3605.L35 2012   378.1'97   C2012-941019-5

Dépôt légal: 3ᵉ trimestre 2012
Bibliothèque et Archives nationales du Québec
© Les Presses de l'Université de Montréal, 2012

ISBN (papier) 978-2-7606-2778-9
ISBN (epub) 978-2-7606-2799-4
ISBN (pdf) 978-2-7606-2798-7

Les Presses de l'Université de Montréal reconnaissent l'aide financière du gouvernement du Canada par l'entremise du Fonds du livre du Canada pour leurs activités d'édition. Les Presses de l'Université de Montréal remercient de leur soutien financier le Conseil des arts du Canada et la Société de développement des entreprises culturelles du Québec (SODEC).

IMPRIMÉ AU CANADA EN AOÛT 2012

L'art d'être étudiant

Les années passées à l'université peuvent compter parmi les plus intenses et les plus belles de la vie. Mais cette période peut aussi s'avérer déroutante, voire angoissante. Après tout, l'université représente un univers inconnu pour celui qui y atterrit, avec ses habitudes, ses codes, ses salles de cours bondées où le professeur semble bien loin... Six petites semaines après la rentrée, l'étudiant subit en rafale une série d'examens de mi-session qui auront des répercussions importantes sur sa confiance en lui-même. Ces années sont riches mais elles passent vite, vite !

En fait, l'étudiant sera placé devant des choix qui auront souvent un effet déterminant sur la suite des choses. La réponse aux nombreuses interrogations qui le taraudent ne se trouve habituellement pas dans les ouvrages scolaires. C'est dans cet esprit que Marie Lambert-Chan a eu l'idée de répondre, le plus concrètement possible, aux questions ou aux défis qui se posent à celui qui pratique le métier d'étudiant. Ne l'oublions pas, si l'Université demeure fondamentalement un lieu où un professeur transmet ses connaissances, les établissements d'enseignement supérieur n'en ont pas moins subi de profondes transformations au cours des dernières décennies. Ils sont aujourd'hui des milieux complexes.

D'aucuns peuvent d'ailleurs avoir l'étourdissante impression que les exigences prolifèrent. Un exemple parmi d'autres: dans plusieurs disciplines, les stages à l'étranger sont fortement encouragés. Mais comment être sûr d'en faire une expérience enrichissante? Et dans le domaine ô combien névralgique des finances personnelles, comment s'assurer les meilleures chances de décrocher une des nombreuses bourses d'études disponibles? Le petit guide de survie étudiante que vous avez entre les mains offre de précieux tuyaux sur une foule de thèmes. Comment éviter la panique de fin de session? Comment vaincre la procrastination? Comment combattre l'indécision devant le choix de carrière? Comment surmonter l'angoisse de la page blanche? Quelles stratégies d'étude doit-on mettre en place quand on souffre d'un trouble du déficit de l'attention?

Une fois les études de baccalauréat terminées, la question des études supérieures surgit, naturelle pour certains, lancinante pour d'autres. Les études supérieures sont-elles pour tous? Comment choisir son directeur de thèse? Et comment, s'il advenait un souci, lui annoncer qu'on ne continuera pas de travailler avec lui?

Initialement publiées dans *Forum*, le journal de l'Université de Montréal, les quelque 42 chroniques de cet ouvrage répondent à autant de questions pratiques et stratégiques qui risquent de surgir tôt ou tard à l'université. Aussi, comme les étudiants forment un bloc beaucoup moins monolithique qu'auparavant, les besoins sont multiples. Si une minorité significative arrive en droite ligne du collège, plusieurs ont connu le milieu du travail. Cela sans parler des dizaines de milliers d'étudiants étrangers que le Québec accueille sur ses campus et qui doivent faire leur chemin dans un univers de bureaucratie. Il reste que les universités offrent aujourd'hui une gamme impressionnante de services. Encore faut-il qu'ils soient connus. Ce petit guide vient ainsi pallier une lacune.

Les chroniques revêtent par ailleurs une dimension philosophique qu'il n'est pas superflu d'avoir en tête. Un étudiant informé sera sans doute un étudiant moins stressé. S'il advenait qu'un étudiant veuille enrichir son curriculum vitæ en se lançant simultanément dans le bénévolat, les activités étudiantes du département, le sport, le théâtre, tout en travaillant à temps partiel et en ne visant qu'à obtenir des A+, à celui-là, l'auteure du petit guide suggère d'établir ses priorités, en les distinguant de celles de la famille ou de la société. Le «Connais-toi toi-même» de Socrate reste parfaitement actuel.

Bonne lecture.

PAULE DES RIVIÈRES
Rédactrice en chef, *Forum*
Directrice des publications,
Université de Montréal

Introduction

La première capsule du *Petit guide de survie des étudiants* a été publiée en février 2011 et portait sur la procrastination. J'ignorais alors l'impact qu'aurait cette rubrique hebdomadaire. À ce moment, ce n'était pour moi qu'un texte à la fois amusant et instructif.

Quelle ne fut pas ma surprise quand, la semaine suivante, plusieurs lecteurs m'ont écrit pour m'informer à quel point cet article avait changé leur façon d'étudier. Certains l'avaient même découpé et affiché sur la porte de leur réfrigérateur. Rapidement, la capsule caracolait en tête des pages les plus fréquentées de notre site Web et générait un fort trafic sur les réseaux sociaux.

Une conclusion s'est imposée: les besoins pratico-pratiques des étudiants sont bien réels et ce n'est pas sur les bancs d'école qu'ils apprendront comment les résoudre. Plusieurs services universitaires ont cette mission, mais encore faut-il que les étudiants les connaissent.

Par la suite, les témoignages ont continué d'abonder dans ce sens. On m'a même déjà dit que le *Petit guide* savait rassurer, qu'il conférait un certain pouvoir d'agir aux lecteurs. J'espère sincèrement que c'est le cas et que cela continuera de l'être maintenant que ces capsules sont réunies dans cet ouvrage.

Tout cela a été rendu possible grâce à mes deux sœurs, Laurence et Camille, qui, avec leurs nombreuses questions existentielles sur la vie estudiantine, m'ont inspiré ces rubriques, semaine après semaine.

Je tiens à remercier mes collaborateurs de la première heure: la rédactrice en chef de *Forum*, Paule des Rivières, le graphiste et illustrateur, Benoît Gougeon, l'équipe du Centre étudiant de soutien à la réussite de l'Université de Montréal, ainsi que la direction et le personnel de la Faculté des études supérieures et postdoctorales de l'UdeM.

Merci à Antoine Del Busso et Nadine Tremblay des Presses de l'Université de Montréal qui m'ont offert la chance de donner une seconde vie à mes capsules.

Enfin, un merci tout particulier à Pierre-Étienne Caza, pour ses avis toujours éclairants sur mon travail, ainsi que son soutien et son amour inconditionnels.

MARIE LAMBERT-CHAN

SECTION 1
La vie étudiante

Quelle culture générale ont les étudiants?

Il n'est pas rare d'entendre des gens se plaindre que les jeunes ont une pauvre culture générale, qu'ils ne connaissent pas leurs classiques, qu'ils ne lisent plus... Est-ce réellement le cas? L'herbe était-elle vraiment plus verte autrefois?

Ne pas oublier quoi?...

... ma canne à pêche???

«Absolument pas. Mes étudiants ne sont pas ignares. Au contraire, ils ont un bagage culturel assez étendu et beaucoup plus diversifié qu'on croit. Certes, ils ne connaissent pas tout, mais ils sont à l'université pour apprendre», répond Benoît Melançon, directeur du Département des littératures de langue française de l'Université de Montréal.

Le père Benoît Lacroix, professeur retraité de l'UdeM, se dit pour sa part préoccupé. «À l'adolescence, les jeunes font preuve d'une grande ouverture d'esprit. Mais on dirait qu'en entrant à l'université, ils oublient leurs aspirations au profit de la spécialisation. La compétition est si féroce et l'atteinte de l'excellence si importante qu'ils n'ont pas le temps de s'intéresser à autre chose. J'ai peur qu'ils finissent par perdre de vue leurs premières intentions universalistes, celles qu'ils avaient plus jeunes.»

Une culture en mouvement

Mais quelle culture générale devraient avoir les étudiants? Les réponses sont aussi nombreuses que variées. «Pendant très longtemps, on a eu coutume de dire qu'il fallait savoir un certain nombre de choses en histoire, en littérature, en philosophie et en musique, rappelle M. Melançon. Cette conception d'une culture générale figée dans le temps m'inquiète. Je crois plutôt que la culture générale doit être un rapport dynamique à la tradition, c'est-à-dire une connaissance de ce qui s'est dit et fait dans le passé pour nous aider à mieux réfléchir aux enjeux actuels.»

Il est d'avis que cette culture n'a pas à être la même pour tous. «Tous les étudiants n'ont pas besoin de connaître dans le détail l'ensemble des œuvres de Voltaire. Néanmoins, ils doivent donner de la profondeur à leurs réflexions sur leur discipline. Cela fait aussi partie de la culture générale. Par exemple, si vous étudiez en criminologie, vous vous interrogerez sûrement sur la peine de mort ou la récidive. Pour ce faire, vous aurez sans doute besoin de puiser dans des œuvres du passé.»

Le père Lacroix juge lui aussi que la culture générale n'est pas faite que de connaissances encyclopédiques. «Il faut avoir une ouverture d'esprit, dit-il, un intérêt pour les autres, une perspective sur le monde, un esprit critique. Il faut simplement être capable, parfois, de discuter d'autre chose que du petit savoir immédiat.»

Ce grand humaniste exhorte les étudiants à rechercher l'équilibre. «Je connais des étudiants en médecine qui sont capables, la veille d'un examen important, d'assister à un concert. Ils courent le risque de ne pas obtenir la meilleure note de leur classe afin de procurer à leur esprit une certaine liberté.»

Benoît Melançon ajoute que la culture générale d'aujourd'hui pose un défi bien particulier, celui de savoir manier les renseignements numériques. «On peut presque tout dénicher sur le Web, mais il est essentiel que les étudiants sachent que tout ce qu'ils y trouvent ne vaut pas la même chose.»

Lui aussi fait appel au sens critique des étudiants. «À quelles sources peut-on faire confiance? Comment peut-on valider les renseignements recueillis? Qui est expert et qui ne l'est pas? Voilà désormais un aspect capital de la culture générale. Et c'est aux professeurs de l'enseigner.»

Comment concilier travail, famille et études?

Étudier à temps plein et travailler à temps partiel est déjà un vrai casse-tête. Les choses ne peuvent que se compliquer quand on ajoute à l'équation un enfant à charge, un parent malade, un nouvel amoureux ou tout simplement des amis qu'on a un peu négligés.

Comment conjuguer les études, le travail et la vie personnelle sans y laisser sa peau? Différents trucs peuvent alléger votre routine. Mais il faut d'abord y trouver un sens. «Questionnez-vous sur les objectifs que vous vous fixez, les engagements que vous prenez, le temps que cela requerra. Définissez vos rôles. Êtes-vous un étudiant, un fils, un amoureux, un père, un colocataire? Enfin, faites en sorte que vos choix concordent avec vos valeurs. On assume toujours mieux les décisions prises en pleine connaissance de cause», conseille Sandrine Even, psychologue en aide à l'apprentissage au Centre étudiant de soutien à la réussite de l'Université de Montréal.

Vous adopterez ainsi une attitude beaucoup plus détendue à l'égard de vos obligations et de votre emploi du temps serré. «Vous ne subirez plus vos choix. Au contraire, vous serez en harmonie avec vous-même et, mine de rien, beaucoup plus efficace!» s'exclame-t-elle.

Hiérarchisez

Cette réflexion vous aidera à établir vos priorités entre les différentes sphères de votre quotidien: la vie personnelle (les loisirs, les sports, la santé), les amis et la famille, les études, le travail rémunéré et les tâches domestiques. Elle facilitera la planification de votre horaire hebdomadaire.

Par exemple, quelle place occupe réellement votre travail? De combien d'argent avez-vous besoin pour vivre? Avez-vous dressé un budget? Devez-vous vraiment vous procurer un ordinateur dernier cri?

À ce sujet, Sandrine Even précise qu'un étudiant à temps plein peut difficilement travailler plus de 15 heures par semaine. «Au-delà de ça, on court à la catastrophe», prévient-elle.

Elle conseille par ailleurs aux nouveaux étudiants de prendre le temps d'apprivoiser le rythme universitaire avant de trouver un emploi: «Ceux qui tentent de tout faire à la fois s'en mordent les doigts quand arrive la mi-session et risquent fort de vivre une grande détresse dans leur incapacité à tout maîtriser.»

Simplifiez

Le mot d'ordre: simplifiez! «Quand l'horaire est surchargé, on peut parer au plus pressé. Allez à l'essentiel et surtout lâchez prise», recommande Mme Even.

En effet, l'ennemi juré de la conciliation travail-famille-études est le perfectionnisme, qui entraîne culpabilité et stress. Ce dont tous se passeraient volontiers! «Soyez pragmatique, efficace, mais sans plus, dit la psychologue. Si vous désirez vraiment conserver un minimum d'équilibre dans votre vie, vous devez vous faire à cette idée. Vous ne pensez pas obtenir un A+ pour ce travail? Tant pis!»

Suivez la règle d'or des gens débordés: au lieu de ruminer, réglez les choses une par une de manière systématique. Vous ne reportez pas, vous ne tergiversez pas. Vous agissez.

Partagez

Répartissez le poids de vos tâches domestiques sur plusieurs épau-les. «Vous faites participer les parents, les enfants, les colocs et les amis, déclare Mme Even. Vous commencez par vous organiser avec ceux avec qui vous vivez. Qui fait quoi à quel moment? Cela vous libérera l'esprit.»

Joignez l'utile à l'agréable en organisant un dimanche de cuisine collective. Composez le menu de la semaine. Gardez les restes pour en faire des lunchs. Ces petits trucs «sauve-la-vie» vous éviteront bien du stress et du mécontentement.

«Plier du linge en papotant avec une copine, ça peut être très agréable», remarque Sandrine Even, un sourire en coin.

Comment apprivoiser l'anxiété et mieux réussir ses études?

Sachez que cette chronique ne vous fera pas découvrir de nouveaux exercices de respiration, ne vous enseignera pas des postures de yoga et ne fera pas l'apologie de la méditation. Certes, ces méthodes permettent de gérer le stress et constituent d'excellentes habitudes de vie. Mais il est aussi essentiel de bien comprendre ce qui se passe entre vos deux oreilles. Ce faisant, vous pourrez enfin apprivoiser votre anxiété et, du coup, mieux réussir vos études.

On ne se débarrasse jamais complètement du stress. ■ «Les situations anxiogènes sont partout: un embouteillage qui tombe mal, un patron exigeant, un budget à respecter, etc. Cependant, on peut apprendre à mieux vivre avec ces obstacles», affirme Sandrine Even, psychologue en aide à l'apprentissage au Centre étudiant de soutien à la réussite de l'Université de Montréal.

Le stress n'est pas une anomalie. ■ C'est un réflexe normal du corps qui survient après une sécrétion hormonale. «C'est un signal d'alerte devant un danger, qu'il soit réel ou ressenti, qui nous pousse à agir», explique Mme Even. Certains affronteront la difficulté; d'autres préféreront l'éviter. Quoi qu'il en soit, «la façon dont on ressent le stress et celle dont on y réagit sont propres à chaque personne; c'est pourquoi il n'y a pas de recette magique et universelle pour le gérer», ajoute-t-elle.

Vous devez comprendre l'origine de votre anxiété. ■ Il existe trois grandes catégories de causes de stress: l'adaptation à la nouveauté, le sentiment d'être dépassé par les évènements et la crainte de la dévalorisation. Les étudiants baignent dans ce genre de situations tous les jours: emménager dans une nouvelle ville, apprendre d'autres techniques d'étude, faire un exposé oral, avoir une trop grande charge de travail, vouloir obtenir les meilleures notes, vivre l'incertitude de leur avenir professionnel. Mais, parmi tout cela, qu'est-ce qui vous cause vraiment du souci?

«Je constate que les gens ne sont pas toujours habiles à cerner ce qui les préoccupe de façon plus profonde, remarque la psychologue. Soyez sensible à ce qui vient troubler vos moments de quiétude ou vos nuits. Lorsque l'inconfort devient trop grand, que la situation est trop souffrante ou que vous n'êtes plus assez fonctionnel, n'hésitez pas à consulter. Cela vous aidera à bien saisir ce qui se passe.»

Sachez reconnaître vos réactions au stress. ■ Les perfectionnistes auront tendance à trop en faire et à se fixer des objectifs irréalistes, par exemple. «Relativisez, conseille Sandrine Even. Ce travail ou cet examen ne constitue pas une question de vie ou de mort. En modifiant votre perspective, vous retrouverez une certaine flexibilité interne, ce qui favorisera l'émergence des idées. Rappelez-vous que le stress réduit le champ de conscience, la créativité et, donc, l'action.» D'autres procrastineront. Mauvaise stratégie. «Arrêtez de fuir et reprenez votre travail petit à petit», suggère-t-elle.

Recentrez-vous sur vos émotions. ■ «Les techniques concrètes de gestion du stress seront toujours à recommencer si vous ne comprenez pas ce qui se passe à l'intérieur de vous», dit Mᵐᵉ Even. Une promenade quotidienne en solitaire – sans iPod ni cellulaire – vous aidera à cibler vos émotions. Loin du brouhaha, il est plus facile de savoir si l'on est triste, déçu ou découragé.

Le stress positif existe. ■ «C'est un catalyseur incroyable, signale Sandrine Even. C'est lui qui nous force à passer à l'action pour terminer un rapport ou pour faire un bon exposé.» Chose qu'on oublie trop souvent quand on parle de stress! Mais attention, il ne faut pas en abuser.

Si tu savais, j'ai tellement de choses à faire...

Comment vaincre la procrastination?

Vous croulez sous le travail, et les échéances arrivent à grands pas: deux examens à préparer, un résumé de lecture à composer, trois travaux à rédiger... Pourtant, vous préférez mettre à jour votre profil Facebook, consulter vos courriels, zapper un brin ou encore promener votre chien. Ce scénario vous est-il familier? Rien de plus normal! «Tout le monde procrastine un jour ou l'autre, affirme Éric Tremblay, psychologue en aide à l'apprentissage au Centre étudiant de soutien à la réussite de l'Université de Montréal. Cependant, certaines personnes sont plus sujettes que d'autres à tout remettre au lendemain.»

Plusieurs de ces procrastinateurs chroniques, affolés par le temps qui file, frappent à la porte de M. Tremblay en quête de conseils. «Ils doivent d'abord connaître la cause de leur comportement, explique celui-ci. Les procrastinateurs se divisent en trois catégories. On trouve d'abord les perfectionnistes, qui ont des attentes trop élevées et qui, de façon inconsciente, ont peur de l'échec. Puis il y a ceux qui manquent de motivation, car la tâche demandée ne les intéresse pas vraiment. Enfin, il y a les impulsifs, qui privilégient les petits plaisirs immédiats plutôt que la satisfaction du travail accompli.»

Ce phénomène touche aussi les étudiants qui souffrent d'un trouble déficitaire de l'attention avec ou sans hyperactivité, selon France Landry, conseillère à la vie étudiante à l'Université du Québec à Montréal. «Plusieurs perçoivent le temps de manière floue et ont de la difficulté à s'organiser. Ils finissent par sous-estimer les tâches à accomplir et surestimer le temps nécessaire pour y parvenir.»

Les étudiants qui ne sont plus certains d'avoir choisi le bon programme peuvent également adopter cette conduite. «Démotivés, ils repoussent le travail à faire et s'y prennent à la dernière minute», constate Mme Landry.

Enfin, il y a ceux dont l'horaire est tout simplement trop chargé, ajoute-t-elle. «Ils sont débordés et une des solutions faciles qui s'offrent à eux pour souffler un peu est de remettre à plus tard.»

Des solutions

Poussée à l'extrême, la procrastination peut avoir de graves conséquences: nuits blanches, agitation, anxiété, stress, baisse de l'estime de soi, accroissement du sentiment d'échec, difficultés d'attention, palpitations cardiaques et, évidemment, résultats scolaires décevants.

Afin de ne pas en arriver là, Éric Tremblay suggère aux procrastinateurs d'adopter de nouvelles stratégies cognitives et comportementales. «Les perfectionnistes doivent changer leur rapport à l'action et se fixer des objectifs réalistes, dit-il. Par exemple, il est bon de décortiquer la réalisation d'un long travail en petites étapes, échelonnées sur plusieurs semaines. Et la conclusion de chaque étape pourrait être couronnée par une récompense!»

Les procrastinateurs démotivés auraient avantage à sonder les sources de leur découragement, selon le psychologue. «Parfois, la procrastination est circonstancielle. L'étudiant aime sa discipline, mais pas une certaine matière. Celle-ci devient, en quelque sorte, un passage obligé. D'autres fois, le problème se révèle plus grave.

Étudie-t-il dans la bonne branche? Sa future profession correspond-elle réellement à ses champs d'intérêt? Devrait-il envisager une réorientation?»

Pour leur part, les impulsifs pourraient surmonter leur problème en travaillant dans un environnement exempt de distractions et en planifiant leur emploi du temps de façon plus serrée. «Engagez-vous à rester au travail environ une heure, puis prenez une pause de 15 minutes», recommande M. Tremblay. Il préconise également la stratégie des «10 minutes», qui consiste à s'atteler à la tâche dès les premières minutes. «Et n'oubliez pas de vous récompenser lorsque vous y arrivez!» ajoute-t-il.

France Landry propose à tous les procrastinateurs de visualiser leur perte de temps. «En inscrivant le nombre d'heures et de minutes consacrées à chaque tâche, activité ou déplacement, ils réaliseront quand ils procrastinent. Leur comportement devient plus concret et cela les aide à trouver des moyens pour le changer.»

Quand l'épuisement frappe...

ZZZ...

Avez-vous l'impression de travailler
de plus en plus tout en produisant de moins
en moins? Vous sentez-vous irritable, nerveux, cynique? Éprouvez-
vous souvent une tristesse inexpliquée? Souffrez-vous davantage de
maux physiques comme des tensions ou des problèmes de digestion?
Vous fatiguez-vous plus facilement?

Si vous avez répondu oui à toutes ces questions, vous êtes sans
doute victime d'épuisement. Le syndrome d'épuisement professionnel ne touche pas seulement les travailleurs; il touche aussi
les étudiants, qui sont particulièrement à risque en raison de leur
rythme de vie effréné.

«L'épuisement est un déséquilibre entre les ressources internes
et externes d'une personne et la pression que cette dernière vit au
quotidien. C'est comme si votre sonnette d'alarme était constamment tirée. Cela signifie que vous subissez surtout du mauvais stress,
ce qui fait que vous n'êtes plus en mesure de prendre du recul par
rapport à votre vie», résume Christiane Viens, conseillère d'orientation au Centre étudiant de soutien à la réussite de l'Université de
Montréal.

Certaines personnes sont plus à risque que d'autres. «Les indivi-dus perfectionnistes, ambitieux, très exigeants envers eux-mêmes, qui ont un grand besoin de contrôle, des objectifs élevés, une faible estime d'eux-mêmes, qui éprouvent de la difficulté à dire non et à lâcher prise sont prédisposés à l'épuisement», déclare-t-elle.

Comment contrer et prévenir l'épuisement

Des facteurs à la fois internes et externes nourrissent l'épuisement. Les reconnaître vous aidera à rétablir un équilibre dans votre vie.

Révisez d'abord votre horaire afin d'éviter la surcharge. Cernez les moments où vous souhaitez vraiment concentrer vos énergies et sachez vous arrêter quand vous n'êtes plus capable de poursuivre; autrement, cela crée une pression indue. C'est un cercle vicieux: plus on est stressé, plus on a de la difficulté à jeter du lest, ajoute Christiane Viens.

Retrouvez le plaisir d'étudier et ne mesurez pas votre réussite uniquement à l'obtention de bonnes notes. «C'est moche de faire un travail où l'on ne trouve aucune valorisation. Il vous faut mettre un accent plus grand sur le processus que sur le résultat. Vous en tirerez davantage de satisfaction», assure-t-elle.

Soyez en harmonie avec vous-même: apprenez à mieux connaître vos habiletés, vos aptitudes, vos champs d'intérêt, de même que vos limites. «C'est aussi l'occasion de vous demander si votre discipline correspond vraiment à ce que vous voulez faire», indique Mme Viens.

Augmentez votre résistance au stress en faisant de l'activité physique régulièrement, en ayant une bonne alimentation et en dor-mant suffisamment. Accordez-vous aussi des moments de détente. «Essayez l'exercice suivant: chaque semaine, prévoyez deux périodes de 15 minutes où vous ne ferez rien, suggère la conseillère d'orienta-tion. Pas de lecture, pas de télévision, pas d'ordinateur, pas de sport. Rien. Ce n'est pas facile. Au début, vous aurez l'impression de perdre votre temps. En fait, c'est un moyen d'arrêter temporairement le tourbillon de votre vie pour mieux vous retrouver. Prenez ces quelques minutes pour faire le point. Qu'est-ce qui est important pour vous et qu'est-ce qui vous apporte le plus de plaisir? Est-ce votre famille, vos amis, le travail, les voyages, le sport? Ces éléments sont-ils présents dans votre vie? Est-il temps de leur redonner leur juste place?» Christiane Viens recommande aussi de bannir de votre vocabulaire les expressions «il faut que» et «je dois», qui engendrent une pression inutile.

Enfin, sachez vous entourer de personnes de confiance. «Un réseau solide vous aidera à vous en sortir en vous offrant le regard extérieur que vous n'êtes plus en mesure d'avoir sur votre propre vie», affirme Mme Viens.

Si aucun de ces trucs ne fonctionne et qu'une extrême fatigue persiste, il est temps de consulter un médecin, un psychologue ou un conseiller d'orientation.

Quelles sont les stratégies d'étude quand on souffre d'un TDAH?

Gérer son temps, écrire et organiser un texte, lire de longs articles, manger et dormir à des heures régulières, faire le ménage... voilà des tâches qui semblent banales à première vue, mais qui, pour un étudiant souffrant d'un trouble déficitaire de l'attention avec ou sans hyperactivité (TDAH), représentent des défis quotidiens.

«Le TDAH est connu pour provoquer un déficit de concentration, rappelle Josée Sabourin, psychologue en aide à l'apprentissage au Centre étudiant de soutien à la réussite de l'Université de Montréal. Un aspect méconnu de cette maladie est qu'elle fragilise les fonctions exécutives, notamment la capacité d'organiser. Plusieurs étudiants qui en sont atteints en viennent à procrastiner ou à étudier à la dernière minute. D'autres s'obligent à demeurer devant leurs bouquins sans être concentrés, ce qui ne produit aucun résultat et entraîne un sentiment de culpabilité.»

Pour sortir de ce cercle vicieux, Mme Sabourin propose quelques stratégies:

Planifier son temps. ■ «C'est le plus grand problème de ces étudiants», remarque-t-elle. Pour surmonter cet obstacle, ils doivent établir une routine de travail à l'aide d'un agenda papier ou électronique. Tout y sera consigné: les heures de sommeil, de repas, de ménage, d'étude, de loisir. «Il faut être réaliste, poursuit-elle. À quelle heure je ferai telle activité, pendant combien de temps et comment? À travers cette organisation, on trouvera un meilleur équilibre de vie, ce qui fait souvent défaut aux étudiants aux prises avec un TDAH.»

Le hic: les étudiants sous-estiment souvent le temps requis pour une tâche. Afin d'y arriver, ils doivent minutieusement observer leurs habitudes.

Déterminer les périodes fructueuses. ■ Après avoir bien organisé son horaire, on doit cerner les moments de la journée où la capacité d'attention est la plus grande. Une personne souffrant d'un TDAH ne peut se concentrer très longtemps. «Cela peut varier, mais en général, ce sont de courtes périodes qui doivent tout de même être suffisamment longues pour que l'étudiant ait le temps de plonger dans son travail, comme une trentaine de minutes», explique Josée Sabourin.

Déjouer son manque d'attention. ■ «Ce n'est pas parce qu'on a une faiblesse qu'on ne peut la compenser, voire la corriger.»

Mme Sabourin suggère d'abord de s'activer pour mieux se motiver: «On y parvient en se mettant au travail avec un but en tête. Par exemple, combien de pages dois-je lire et combien de minutes devrais-je y consacrer? La volonté d'atteindre l'objectif renforcera peu à peu la motivation.» Elle conseille également de cibler les sources possibles de distraction et de les éliminer.

Les étudiants souffrant d'un TDAH peuvent aussi avoir recours à l'évocation, méthode consistant à traduire une notion en ses propres mots pour mieux se l'approprier. Toutes les façons sont bonnes:

parler à haute voix en s'enregistrant, dessiner, discuter avec un proche... «Cette méthode favorise un ancrage de l'information dans la mémoire à long terme», souligne Josée Sabourin.

Ces étudiants doivent surtout apprendre à s'autoréguler intellectuellement et émotionnellement. «Cela signifie se développer de façon organisée et consciente et aller chercher de l'aide pour ce faire, explique la psychologue. Cela signifie aussi contenir ses émotions qui, dans le cas où il y a présence d'impulsivité, prennent souvent toute la place et embrouillent l'esprit.»

Enfin, il faut retrouver le plaisir d'étudier. «Plusieurs étudiants qui vivent avec un TDAH trouvent les études pénibles, car elles sont associées à l'idée de longues périodes infructueuses», dit Mme Sabourin. En appliquant ces différentes stratégies, ils pourront atteindre leurs objectifs et renouer avec la satisfaction du travail accompli.

Étudiants étrangers : comment gérer le choc culturel ?

Vous êtes français, marocain, tunisien ou belge et vous débarquez au Québec pour y faire vos études. Tout vous émerveille : le métro, les épiceries, le mont Royal, la poutine et même les écureuils qui trottinent en pleine rue.

Cette période peut être stimulante, mais elle est parfois de courte durée. « Le choc culturel rattrape tôt ou tard presque tous les étudiants étrangers », remarque Dania Ramirez, coordonnatrice du secteur soutien à l'apprentissage du Centre étudiant de soutien à la réussite de l'Université de Montréal.

« J'aime bien cette définition du choc culturel : "arriver dans un pays possédant une culture, un climat, des coutumes et une langue différente peut s'avérer une expérience fort déconcertante", déclare France Landry, conseillère à la vie étudiante à l'Université du Québec à Montréal. Donc, oui, ces étudiants vivent une période de transition et d'adaptation à divers degrés et dans diverses sphères. À l'université, plusieurs choses se révèlent déroutantes pour eux : le format des cours, la façon de présenter les travaux, le rapport avec les enseignants et les travaux d'équipes. »

Après la phase d'idéalisation vient souvent une certaine désillusion. «Ces étudiants se rendent compte qu'ils doivent consacrer plusieurs heures à leurs études et que leurs collègues qui étaient très disponibles à la rentrée le sont beaucoup moins au fur et à mesure que le trimestre avance», explique Dania Ramirez.

Ce sentiment peut faire place à un véritable choc culturel, surtout au mois de novembre, à la suite des examens de mi-session. «Souvent, ils n'obtiennent pas les notes souhaitées. Les codes et les exigences de notre système d'éducation sont loin de leurs références habituelles», mentionne Mme Ramirez. Cela peut provoquer chez certains une grande anxiété, surtout chez ceux qui sont déjà sous pression en raison de l'argent dépensé par leurs parents pour financer leur séjour. Ces sentiments peuvent durer de 3 à 18 mois.

À ce maelström d'émotions s'ajoutent les journées qui raccourcissent et le mercure qui descend. «Quelques-uns éprouvent parfois une profonde tristesse et présentent des symptômes de dépression. D'autres finiront même par quitter le pays et abandonner leur projet d'études», observe Dania Ramirez.

La plupart franchissent la zone de turbulences et s'adaptent à la culture québécoise. Ils comprennent alors mieux les exigences scolaires et cohabitent de façon plus harmonieuse avec leurs collègues.

Ce processus d'adaptation diffère d'un individu à l'autre, précise Mme Ramirez. «Ces phases se chevauchent et sont parfois interverties. Les étudiants étrangers doivent toutefois réaliser qu'ils y seront confrontés et qu'il n'y a rien de plus normal. En prendre acte est déjà une façon de s'en sortir.»

Gérer son temps et ses relations

Quelques trucs et conseils facilitent l'adaptation. Tentez de puiser dans vos propres ressources. «Votre façon de vous acclimater aux changements et les moyens que vous mettez en place pour vous en sortir seront à peu près les mêmes tout au long de votre vie, expose

Dania Ramirez. Rappelez-vous, par exemple, comment vous avez traversé votre dernière rupture amoureuse. Si vous avez eu besoin d'en parler, il en ira sûrement de même pour surmonter le choc culturel.»

C'est pourquoi il est important de se bâtir un réseau d'amis dès la rentrée. «Inscrivez-vous à des activités parascolaires et, surtout, étudiez en groupe, suggère-t-elle. Vous pourrez compter sur des collègues pour échanger vos notes ou emprunter les leurs si vous êtes absent d'un cours.»

«Impliquez-vous socialement – au sein de votre association étudiante, par exemple – et participez aux activités d'accueil et à celles offertes par le service des étudiants étrangers de votre institution», propose de son côté France Landry.

Sachez aussi que les professeurs sont là pour vous soutenir. Écrivez-leur ou demandez à les rencontrer à leur bureau. «La relation étudiant-professeur est très hiérarchique dans plusieurs pays, dit Dania Ramirez. Ces étudiants ne sont pas habitués à autant d'ouverture et certains n'en profitent pas.»

Apprenez à gérer votre temps. Votre travail d'étudiant ne se limite pas à vos 15 heures de cours. Si vous étudiez à temps plein, vous devez ajouter un minimum de 20 à 25 heures d'étude à l'extérieur de la classe. «Beaucoup d'étudiants étrangers ont entrepris leur parcours scolaire dans des systèmes d'éducation très différents et peinent à adapter leur façon d'étudier à la nôtre», souligne la coordonnatrice.

Enfin, n'oubliez jamais que le temps arrange bien des choses…

Comment préparer un séjour d'études à l'étranger?

Chaque année, des centaines d'étudiants québécois partent étudier à l'étranger. «C'est l'occasion rêvée d'aborder sa discipline sous un angle différent, de perfectionner une autre langue, de nouer de nouvelles amitiés et de se bâtir un réseau de relations professionnelles dans son domaine», déclare Judith Beaulieu, conseillère-coordonnatrice à la Maison internationale de l'Université de Montréal.

Certes, préparer un tel séjour demande du temps et des efforts. «Ce n'est pas un voyage tout compris de deux semaines, précise-t-elle. C'est avant tout un projet d'études.»

Les démarches qui précèdent le séjour peuvent durer une année. Il y a des formulaires à remplir, des lettres de recommandation à demander, un budget à dresser, un logement à trouver... Mais le jeu en vaut largement la chandelle.

«Tous les étudiants qui reviennent de l'étranger sont unanimes: c'est une expérience inoubliable», confirme Judith Beaulieu.

Pour ceux qui veulent se lancer dans une telle aventure, voici les principales étapes à suivre.

L'établissement d'accueil

Il vous faut d'abord choisir l'établissement où vous étudierez. Cette tâche exige une certaine réflexion, puisque votre université a sans doute signé des ententes avec des dizaines d'universités dans le monde.

L'offre de cours devrait être votre critère principal. «C'est une erreur de viser un établissement parce que, par exemple, il est situé près de la mer où l'on pourra surfer, sans se demander si les cours seront intéressants, observe Mᵐᵉ Beaulieu. Ce séjour est un moment privilégié pour faire progresser sa formation et non pour prendre du retard.»

Le dossier de candidature

Ça y est: vous avez choisi l'établissement où vous souhaitez étudier. Mais encore faut-il y être admis. C'est pourquoi vous devez vous appliquer dans la constitution de votre dossier de candidature. Des copies de votre passeport et de votre relevé de notes, une lettre de motivation à l'intention de l'université choisie, une lettre de recommandation et l'approbation de vos choix de cours ne sont que quelques-uns des documents à réunir.

Meilleur sera votre dossier scolaire, meilleures seront vos chances d'être accepté par l'établissement d'accueil. Sachez que certaines universités n'offrent qu'un nombre limité de places. «On procède à une sélection et, si vous n'êtes pas retenu, on vous propose un second choix», explique Judith Beaulieu.

Budget et bourses

Il est difficile d'évaluer ce que peut coûter un échange. Évidemment, un séjour à Oslo sera plus cher qu'à Mexico. Une planification financière s'impose donc.

Selon la Maison internationale, en 2011-2012, étudier à l'étranger coûte de 14 000 $ à 23 500 $ annuellement. À l'UdeM, un étudiant débourse de 14 200 $ à 16 200 $.

«Cette différence sera largement compensée par l'obtention de bourses», indique Mme Beaulieu. Ainsi, le bénéficiaire d'une bourse de mobilité du ministère de l'Éducation, du Loisir et du Sport recevra de 3000 $ à 4000 $ par trimestre d'études selon sa destination.

La formation «prédépart»

Judith Beaulieu encourage fortement les étudiants qui ont entrepris des démarches pour aller étudier à l'étranger à participer à l'une des rencontres «prédépart» organisées par leur institution.

«On revoit tous les éléments du projet: le visa étudiant, les billets d'avion, le passeport, les assurances, le logement, etc.», mentionne-t-elle.

Les étudiants y apprendront entre autres qu'un visa d'études ne s'obtient pas en claquant des doigts. Certains pays l'accorderont en 24 heures, alors que d'autres le feront après plusieurs mois.

«On ne fait pas les choses à leur place, mais on leur donne des pistes, précise-t-elle. On les invite à être les acteurs de leur séjour. Plus ils sont sérieux et y mettent du temps, plus l'expérience sera gratifiante.»

Prendre une pause de l'université : est-ce une bonne idée ?

Qui n'a pas déjà songé à s'accorder une pause pendant ses études ? Idéalement, tous les étudiants souhaiteraient terminer leur formation dans les temps prescrits. Mais, parfois, il en va autrement : la démotivation, un deuil, une rupture amoureuse, le manque de ressources financières... Ou encore le goût de l'aventure, une envie de liberté, le désir de prendre du recul quant aux études. Autant de raisons qui poussent un étudiant à faire une pause de quelques mois, voire plus.

Popularisée dans les années 1990 par la génération X, l'année sabbatique est devenue une pratique courante. Est-ce pour autant une bonne idée ? Tout dépend des motifs et du projet prévu pendant ce temps d'arrêt, affirme Johanne Ricard, coordonnatrice du secteur orientation scolaire et professionnelle du Centre étudiant de soutien à la réussite de l'Université de Montréal.

« Souhaitez-vous prendre une pause pour acquérir de l'expérience dans votre domaine ? interroge-t-elle. Ou quittez-vous temporairement l'université parce que vous avez des doutes relativement à votre choix de programme ? Vous ne devez pas arrêter vos études pour fuir un problème. Si vous partez sur un coup de tête sans planifier la suite des choses, vous tomberez dans l'inertie.»

Ce moment doit donc être consacré à votre développement personnel, qu'il s'agisse d'explorer la planète, de travailler, de faire du bénévolat ou d'apprendre une langue.

La plupart des étudiants qui prennent une sabbatique désirent voir le monde. Si vous avez la bougeotte, mais que partir à l'aventure vous angoisse, sachez qu'il existe un grand nombre d'organismes qui vous aideront à structurer votre projet. Par exemple, SWAP Vacances-Travail vous donne un coup de pouce si vous voulez travailler à l'étranger, tandis que Québec sans frontières vous permet de participer à des stages de coopération internationale.

Si vous n'arrivez pas à cerner vos objectifs, n'hésitez pas à rencontrer un conseiller en orientation.

Signez un contrat personnel

Avant de prendre votre décision, réfléchissez un moment aux conséquences d'un tel congé. «Si les étudiants décident de marquer un temps d'arrêt durant leurs études, remarque Francine Audet, conseillère en orientation au Centre étudiant de soutien à la réussite, ils risquent d'étirer leur formation et de perdre de vue des collègues de classe qui, eux, continueront de progresser.»

Certains se perdent littéralement dans leur pause. «Ils ne reviennent qu'après plusieurs années, ce qui rend leur retour aux études encore plus ardu. Quelques-uns ne remettent plus jamais les pieds à l'université», ajoute-t-elle.

Francine Audet et Johanne Ricard conseillent aux étudiants de signer un contrat avec eux-mêmes avant le grand départ. «Mettez par écrit vos objectifs et surtout votre date de retour», suggère la coordonnatrice.

«Prévoyez aussi ce que vous souhaitez faire au terme de votre pause, ajoute la conseillère en orientation. Peut-être changerezvous d'idée en cours de route, mais au moins vous aurez un point d'ancrage.»

Le retour

En prenant une pause de l'université, vous vous inscrivez à l'école de la vie. Votre capacité d'adaptation sera mise à l'épreuve. Il n'y aura plus le cadre des études pour organiser votre emploi du temps. Vous deviendrez plus autonome et débrouillard. Vous acquerrez des habiletés qui mériteront sans doute une mention dans votre curriculum vitæ.

Mais les lendemains se révèlent souvent difficiles. «C'est surtout le cas des voyageurs, souligne Mme Audet. Ils vivent une déprime postvoyage qui peut durer quelques mois. Certains ont même besoin d'aide pour s'en sortir.»

«Les étudiants doivent être conscients qu'il y aura forcément une période d'adaptation à leur retour, affirme Johanne Ricard. Renouer avec l'horaire strict des études et les obligations familiales n'est pas chose facile après avoir vécu une année de liberté et d'indépendance.»

En résumé, avant de prendre la clé des champs, rappelez-vous que vous partez... pour mieux revenir!

Le savoir-faire étudiant

Comment survivre
à la rentrée?

Le passage du cégep à l'université est un moment aussi excitant qu'angoissant. Les premières journées sont un véritable tourbillon de premières fois: l'installation dans un appartement ou à la résidence, les premiers cours, les initiations, les nouvelles rencontres... Comment peut-on survivre à la rentrée et entreprendre l'année scolaire du bon pied?

«Commencez par vous familiariser avec votre environnement», répond Dania Ramirez, coordonnatrice du secteur soutien à l'apprentissage du Centre étudiant de soutien à la réussite de l'Université de Montréal.

Une visite du campus quelques jours avant la rentrée s'impose donc. Promenez-vous dans votre futur département, repérez les locaux où seront donnés vos cours et où sont situés certains services comme les bibliothèques et la cafétéria. «Si les étudiants arrivent de l'extérieur, ils auraient aussi avantage à explorer la ville et son système de transport en commun», ajoute-t-elle.

Au passage, prenez le temps de vous renseigner un peu plus sur votre programme d'études et sur les perspectives d'emploi dans votre domaine. «Juste pour valider votre choix et vous donner une petite idée de ce qui vous attend», dit Dania Ramirez.

L'adaptation à l'université passe également par la participation aux activités de la rentrée. «Cela vous permettra d'entrer en contact avec des collègues de classe ainsi que des membres du personnel», souligne-t-elle.

Une bonne hygiène de vie

«Bien des étudiants pensent à organiser leur nouvelle vie deux semaines après la rentrée, alors qu'ils devraient déjà avoir le nez dans leurs livres», observe Dania Ramirez.

C'est pourquoi elle leur suggère fortement d'emménager dans leur appartement ou leur studio des résidences quelque temps avant le jour J.

«Aménagez votre lieu de travail, achetez vos recueils, cuisinez quelques repas que vous congèlerez et établissez votre budget.»

Et dormez, ajoute Mme Ramirez. «Bien sûr, les étudiants peuvent faire la fête pendant une fin de semaine... mais tout est une question d'équilibre et de bon dosage! Plusieurs finissent par souffrir du manque de sommeil, ce qui nuit à leur concentration. Ils doivent adopter une bonne hygiène de vie dès le départ.»

Ne perdez pas de temps!

«Tous les étudiants doivent se plonger dans leurs études dès les premiers jours, car six semaines plus tard ont lieu les examens de mi-session», rappelle la coordonnatrice, qui conseille du même souffle de planifier son emploi du temps jusqu'à la mi-octobre.

Inscrivez-y vos cours, vos heures de lecture, de révision de notes et de rédaction de travaux ainsi que votre horaire de boulot. «Ce plan est la clé de la réussite!» assure-t-elle.

Soyez proactif dans vos cours. Cela vous fera gagner un temps précieux, estime Dania Ramirez. «Plusieurs assistent à leurs cours comme de simples auditeurs: ils mettent en marche leur dictaphone et se croisent les bras. C'est une grande erreur. Premièrement, le cours doit être considéré comme la première période d'étude d'un sujet. Vous commencerez à intégrer la matière en prenant des notes et en posant vos questions au professeur. Deuxièmement, réécouter trois heures de cours est fastidieux et inutile. Le dictaphone doit demeurer un filet de sécurité, sans plus.»

La coordonnatrice encourage par ailleurs les étudiants à maintenir un rythme de croisière raisonnable. «Certaines personnes, très perfectionnistes, achètent leurs bouquins d'avance et les lisent pendant l'été, rapporte-t-elle. C'est un peu exagéré! Un trimestre est semblable à un marathon. Il faut savoir doser ses énergies si l'on veut se rendre jusqu'au fil d'arrivée.»

Comment survivre à la fin de session?

La mi-session est passée et vous croyez pouvoir souffler avant d'entreprendre le marathon qu'est la fin du trimestre. Détrompez-vous! «Vous devez vous y mettre maintenant», affirme Sandrine Even, psychologue en aide à l'apprentissage au Centre étudiant de soutien à la réussite de l'Université de Montréal.

Tel un athlète se préparant pour une compétition, vous devez entraîner votre corps et votre cerveau en prévision des examens finals. Mme Even et sa collègue Josée Sabourin, également psychologue au Centre étudiant de soutien à la réussite, proposent une planification en quatre semaines. «Vous pourrez ainsi vivre pleinement votre fin de session et non pas seulement y survivre», assure Mme Sabourin.

Quatre semaines avant la fin du trimestre

Prenez d'abord un moment pour tirer des leçons de vos résultats de mi-session et revoir vos techniques d'étude. Puis faites des plans. «Dressez une liste exhaustive de toutes les tâches à effectuer: lecture, étude, mémorisation, rédaction, etc., dit Sandrine Even. Établissez un plan général où vous noterez toutes les dates de remise de travaux et d'examens. Ensuite, aménagez un horaire hebdoma-

daire où vous insérerez vos plages d'étude entre vos cours et obligations personnelles. Soyez précis dans vos tâches et accomplissez-les
aux périodes qui vous sont les plus propices. Ce plan devra être
revu chaque semaine précédant la fin de la session. Enfin, rédigez
un plan qui détaillera l'essentiel de chaque cours. Cela facilitera la
mémorisation et diminuera votre stress.»

Prévoyez des moments de détente. «C'est essentiel, insiste la
psychologue. Faites du sport, prenez l'air, mais oubliez un peu la
télé.» Vous pouvez également faire la sieste pendant un maximum
de 20 minutes ou vous détendre.

Les quatrième et troisième semaines avant la fin du trimestre
devraient être consacrées aux travaux écrits et à la lecture. «Mais
pas des lectures à n'en plus finir, précise Mme Even. Concentrez-vous
sur l'introduction et la conclusion de chaque paragraphe et les mots
clés. Complétez vos lectures par de petites fiches de synthèse.»

Évitez de faire la fête et nourrissez-vous sainement pendant les
périodes d'étude. «Adoptez l'alimentation des sportifs: eau, noix,
fromage, pain, céréales», recommande-t-elle.

Deux semaines avant la fin de la session

Le temps est venu de mémoriser la matière en prévision des examens. Encore une fois, à la manière d'un athlète, suivez un entraî-
nement par intervalles. Mémorisez pendant 15 minutes et faites
une courte pause. Répétez cette opération trois fois de suite, puis
reposez-vous.

Pendant ces semaines, rien ne doit vous distraire. C'est pourquoi
Josée Sabourin et Sandrine Even suggèrent aux étudiants d'envoyer
un message à leurs amis et à leur famille pour leur signifier qu'ils ne
seront pas disponibles. Si possible, demandez à votre employeur un
congé ou, du moins, un horaire plus léger.

En période d'examens

La veille des examens, il ne sert à rien d'étudier votre matière à fond. Survolez plutôt vos plans de cours. Le jour J, demeurez dans votre bulle. Prenez le temps de lire les questions deux fois. «Commencez par les questions dont vous connaissez les réponses, ainsi que celles qui vous rapporteront le plus de points», note Josée Sabourin. Entre deux évaluations, faites de l'exercice ou plongez-vous dans un bain chaud. Cela accroîtra votre concentration et votre énergie.

Une fois les examens terminés, récompensez-vous. «Célébrez les efforts que vous avez fournis, même si vous n'êtes pas entièrement satisfait de vos résultats», dit Sandrine Even. Et tirez un bilan de votre fin de trimestre, ajoute-t-elle. «Analysez vos bons coups et repérez un ou deux changements à apporter... à la prochaine fin de session!»

Comment surmonter l'angoisse de la page blanche?

Vous devez écrire 15 pages sur le concept de guerre juste pour votre cours de philosophie politique contemporaine, mais l'inspiration ne vient pas. Rien. Nada. Votre document Word est vierge depuis plusieurs heures et le clignotement incessant du curseur commence à vous tomber royalement sur les nerfs. Diagnostic: vous souffrez de l'angoisse de la page blanche, également appelée «blocage de l'écrivain».

Si certains étudiants vivent ces passages à vide épisodiquement, d'autres y sont coincés de façon permanente. «Il y a des étudiants qui construisent leur session en évitant tous les cours où l'on exige de longs travaux. Et des doctorants qui n'ont pas rédigé une seule ligne depuis des mois et qui le cachent à leur directeur de thèse», révèle Josée Sabourin, psychologue au Centre étudiant de soutien à la réussite de l'Université de Montréal.

Pourtant, les remèdes pour renouer avec l'envie d'écrire sont nombreux. Tout d'abord, oubliez les mythes associés à la rédaction. «Beaucoup croient à tort que la capacité d'écrire est innée, que l'écriture ne vient facilement qu'aux auteurs et aux journalistes ou qu'une belle plume nécessite de l'imagination et de l'originalité», explique Mme Sabourin.

Ensuite, évacuez la pression que vous vous mettez inutilement sur les épaules. Cela ne peut que renforcer votre blocage. «Ne vous entêtez pas à trouver l'idée du siècle, conseille la psychologue. L'acharnement induit la rigidité. Laissez de côté votre texte et faites autre chose. Revenez-y plus tard. De nouvelles idées émergeront forcément.»

La censure personnelle nourrit elle aussi l'angoisse de la page blanche. Bien souvent, les étudiants veulent tellement trouver le mot juste ou la phrase qui gagnera le cœur de leur professeur qu'ils perdent tous leurs moyens. La solution: l'écriture automatique. «Mettez de côté votre jugement critique et alignez toutes les idées qui vous passent par la tête, dit Josée Sabourin. Quand on est dans l'action, l'anxiété disparaît.»

Elle préconise également le fameux plan de travail, où l'on décrit sommairement l'introduction, les idées principales et secondaires et, enfin, la conclusion. «Une fois votre sujet bien circonscrit, faites un plan brouillon. S'il est trop organisé, vous serez incapable de rédiger, car vous n'aurez plus aucune latitude créative.»

En effet, tout processus d'écriture s'appuie autant sur l'organisation que sur la création. Chacune de ces étapes est nécessaire, mais ne requiert pas le même état d'esprit. «Après avoir élaboré votre plan sommaire, passez en mode d'écriture automatique, poursuit la psychologue. Puis organisez et détaillez vos idées en précisant votre plan de travail. Cette technique vous permettra de produire des textes géniaux!»

Le plan de travail peut en outre vous sauver la vie lors des examens. «Les questions à développement sont une grande source d'anxiété, constate Josée Sabourin. Les étudiants ont intérêt à faire un mini-plan dans la marge de leur copie d'examen avant de rédiger. La réponse leur viendra tout naturellement.»

Ayant remarqué que l'isolement propre aux études peut contribuer au blocage de l'écrivain, elle suggère aux étudiants de se réunir pour mieux créer. «Je connais des personnes qui, malgré le fait qu'elles ne sont pas dans le même domaine, se réunissent pour cogiter ensemble sur leurs travaux respectifs. Les perspectives différentes de leurs amis nourrissent leur inspiration. C'est une voie peu explorée, mais ô combien enrichissante.»

Mode d'emploi
pour travaux écrits réussis

Les longs travaux écrits riment souvent avec surdose de caféine et nuits blanches. Si cette recette s'avère efficace pour une poignée d'étudiants, elle n'est toutefois pas recommandée à la majorité d'entre eux. La psychologue en aide à l'apprentissage Josée Sabourin, qui travaille au Centre étudiant de soutien à la réussite de l'Université de Montréal, propose plutôt une méthode de rédaction en six étapes faciles... ou presque!

Définition du sujet. ■ Commencez par bien comprendre les exigences de votre professeur. Puis faites quelques lectures préliminaires pour vous familiariser avec le thème et mettre le doigt sur ce qui vous captive. «La motivation est au cœur du travail écrit», déclare Mme Sabourin.

Cet intérêt doit être soutenu, puisque vous consacrerez plusieurs semaines à ce travail. «Vous ne le ferez pas en une nuit, rappelle-t-elle. Il faut planifier sa réalisation en le découpant en plusieurs petites tâches. Prévoir deux heures de recherche à la bibliothèque dans sa journée est plus stimulant qu'inscrire "Travail de session à faire" dans son agenda!»

Ces lectures vous aideront à délimiter votre sujet dont vous devrez diminuer l'ampleur de trois à cinq fois. Par exemple, «le développement de l'enfant» deviendra «le développement social de l'enfant», puis «le développement social de l'enfant de trois à six ans» et enfin «le comportement de l'enfant de trois à six ans dans les jeux collectifs». «Plus vous serez précis, plus vous serez efficace», souligne la psychologue. Notez que les bibliothécaires vous seront d'une grande utilité à cette étape.

Élaboration du plan. ■ Jetez sur papier vos premières idées. Elles constitueront votre cadre de référence. Ce sont les grandes lignes de votre travail qui vous guideront dans votre recherche de renseignements. Vous modifierez votre plan ultérieurement.

Recherche, lecture et réflexion. ■ Il est facile de perdre la notion du temps quand on fait de la recherche. C'est pourquoi il vaut mieux circonscrire le nombre d'heures qu'on y accorde. «Vous vous éparpillerez moins», observe Josée Sabourin.

Concentrez-vous sur des auteurs reconnus. «Revoyez la bibliographie à la fin de votre plan de cours, dit-elle. Vous y trouverez des auteurs choisis par votre professeur auxquels vous pouvez vous fier.»

Prenez le temps de digérer vos lectures. «Vous devez réfléchir à la matière avant de vous lancer dans la rédaction qui, d'ailleurs, ne s'en trouvera qu'améliorée, affirme la psychologue. C'est à ce moment que vous préciserez votre plan.»

Rédaction et décantation. ■ La rédaction doit se faire en deux temps: le brouillon et la mise au propre. «Personne ne peut rédiger un travail d'un trait, assure Mᵐᵉ Sabourin. Écrivez d'abord de manière spontanée les idées principales pour chaque partie de votre plan.» Dans un deuxième temps, vous élaborerez votre contenu.

Une fois la rédaction terminée, laissez votre travail de côté pendant environ cinq jours. C'est le temps requis pour mûrir votre réflexion et revoir le tout avec un œil neuf. « Une étape trop souvent oubliée », estime la spécialiste.

Dernière touche. ■ Traquez les erreurs, les coquilles, les omissions de mots, de phrases et même de paragraphes ! C'est aussi le moment de revoir la mise en forme afin de respecter les normes de présentation demandées.

Bilan. ■ Ouf ! Votre travail est enfin remis. Il ne vous reste plus qu'à faire le bilan. « Qu'avez-vous appris de ce travail ? Y a-t-il des choses que vous feriez différemment ? Ce questionnement semble facultatif, mais il est important dans la mesure où il permet de ne pas répéter certaines erreurs. Les étudiants qui s'adaptent le mieux à l'université sont ceux qui sont capables d'effectuer cette démarche », remarque Josée Sabourin.

Comment réussir un exposé oral?

Exposé oral... Cette seule expression fait frémir d'horreur bien des étudiants. Leurs mains deviennent soudainement moites et leur cœur bat la chamade. Pourtant, il suffit d'une bonne préparation, de plusieurs séances où l'on répète son exposé et d'un peu de méditation pour éviter nausées et nuits blanches.

Avant tout, il vous faut bien connaître votre sujet, souligne Vivianne Darveau, psychologue en aide à l'apprentissage au Centre étudiant de soutien à la réussite de l'Université de Montréal. «Si le thème de votre exposé vous intéresse, vous retiendrez davantage l'information à présenter et vous serez moins tenté de procrastiner», dit-elle.

Un plan détaillé vous permettra de mettre de l'ordre dans vos idées. Un bon orateur y décrira l'introduction, le développement et la conclusion de son exposé. Il tiendra compte aussi du support visuel qu'il utilisera, comme une présentation PowerPoint ou du matériel audiovisuel. «Ce plan doit être rédigé en fonction de votre auditoire, indique Mme Darveau. Par exemple, si les gens ne connaissent pas beaucoup ou pas du tout votre sujet, vous serez dans l'obligation de fournir plus de détails.»

Prévoyez une phrase-choc pour amorcer votre exposé. De cette façon, vous capterez l'attention du public dès les premières minutes. «Donnez des statistiques liées à votre sujet ou encore posez une question sans y répondre immédiatement, suggère la psychologue. Ainsi, vous conserverez l'intérêt de vos auditeurs tout au long de la présentation.»

Au cours de votre introduction, assurez-vous que le public vous entend bien et que votre matériel vidéo, si vous en avez, est visible pour tous. «Sinon, cela pourrait être irritant pour certaines personnes dans l'auditoire et vous perdriez rapidement leur intérêt.» Affichez également un plan sommaire de votre exposé. Cela situera les auditeurs tout en prévenant de malheureux trous de mémoire.

Avoir quelques cartons en main ou des diapositives PowerPoint se révèle en outre très utile. Cependant, n'y inscrivez que les grandes lignes de votre exposé. «Vous ne devez ni lire ni mémoriser votre information, insiste Vivianne Darveau. La lecture vous empêcherait d'établir un contact visuel avec le public, et la mémorisation engendre un très grand stress.»

Au moment de la conclusion, rappelez l'idée principale de votre présentation, remerciez l'auditoire et ouvrez la discussion. Si vous n'avez pas le temps de répondre aux questions des autres étudiants, mentionnez-le respectueusement.

Répéter, répéter, répéter

Une fois le plan rédigé, il ne vous reste plus qu'à répéter. «C'est la clé du succès», remarque Vivianne Darveau. Chronométrez votre intervention et, si possible, filmez-vous. «Cela vous permettra de corriger des tics visuels et sonores», explique-t-elle. Si vous n'avez pas de caméra, rassemblez amis, parents, voisins et même Fido. «C'est la meilleure façon de tester votre concentration et votre capacité à gérer votre stress.»

Le jour J, faites des exercices de respiration, pratiquez votre sport favori, méditez, bref, détendez-vous. Habillez-vous de façon confortable, mais appropriée. « Ce n'est pas le moment de mettre une cravate si vous n'en avez pas l'habitude ! » note la psychologue.

Armez-vous d'une bouteille d'eau. Elle pourrait vous sauver la vie durant l'exposé. « Prendre une gorgée d'eau permet subtilement de faire une pause ou de réfléchir à la suite d'une question », mentionne Mme Darveau.

Si l'exposé ne se déroule pas comme prévu, faites-en part aux auditeurs. Vous susciterez leur sympathie tout en diminuant d'emblée votre stress. Et ignorez les gens qui dorment, se curent les ongles ou regardent par la fenêtre. Concentrez-vous sur ceux qui manifestent leur intérêt en hochant la tête ou en vous souriant.

Enfin, souvenez-vous que même les plus grands orateurs vivent des instants de doute avant de monter à la tribune. « L'exposé parfait n'existe pas », conclut Vivianne Darveau.

Comment lire de façon efficace?

Les lectures obligatoires sont une tâche fastidieuse pour bien des étudiants. «Ils se plaignent fréquemment qu'ils en ont trop à lire et qu'ils ne retiennent pas l'information», constate Josée Sabourin, psychologue en aide à l'apprentissage au Centre étudiant de soutien à la réussite de l'Université de Montréal.

Son collègue orthopédagogue, Denis Côté, n'est pas surpris par ce phénomène. «Au primaire, on apprend à lire. Après, on lit pour apprendre. Une fois rendus à l'université, les étudiants lisent pour comprendre. La quantité et la complexité des lectures distinguent les études universitaires des autres ordres d'enseignement», affirme-t-il.

Selon lui, ces lectures exigent de solides capacités de métacognition, c'est-à-dire la faculté d'avoir un certain recul par rapport à ses actions afin de mieux les critiquer. «Il ne suffit pas de lire un texte, explique M. Côté. Il faut également en découvrir le sens et l'utilité dans le cadre de son cours.»

Les étudiants ont intérêt à acquérir ces aptitudes très tôt, puisqu'ils n'échapperont pas aux lectures obligatoires. «Les recueils sont constitués de textes soigneusement choisis par les professeurs qui estiment que leur lecture améliorera la compréhension chez les étudiants», rappelle l'orthopédagogue.

Une technique qui a fait ses preuves

Josée Sabourin et Denis Côté proposent aux étudiants débordés une méthode de lecture en trois temps. «Avant même de commencer, planifiez vos moments de concentration», recommande Mme Sabourin. Certaines personnes sont plus matinales, alors que d'autres préfèrent lire le soir. Des étudiants aiment bien faire leurs lectures dans un café en raison du bruit de fond qui les aide à concentrer leur attention sur la tâche à accomplir, tandis que d'autres ont besoin du silence absolu.

Le survol. ■ Cette première lecture permet de «catégoriser le texte», selon Denis Côté. «À quoi vous sert-il? Devez-vous en mémoriser des éléments en vue d'un examen? Contient-il des éléments qui nourriront votre argumentation dans votre prochain travail? La réponse à cette question influencera l'organisation du reste de votre lecture», dit-il. Josée Sabourin ajoute qu'en effectuant ce survol, «les étudiants ont déjà fait la moitié du chemin».

La lecture active. ■ L'étudiant réagit au texte et l'annote en fonction de l'objectif cerné plus tôt. C'est le moment de sortir crayons, stylos, surligneurs et papillons adhésifs (ou Post-it) afin de codifier l'information pertinente. Et n'utilisez pas uniquement le marqueur jaune! «Vous ne différencierez plus ce qui relève des faits, de l'argumentation, de la synthèse, des exemples, etc.», remarque M. Côté. Il suggère aux étudiants de surligner des mots plutôt que des phrases. «Vous les repérerez et les retiendrez plus facilement.»

Les termes dont on ignore la signification devraient être retranscrits dans un répertoire. «C'est le meilleur moyen pour enrichir un vocabulaire lié à son domaine d'études, croit M. Côté. Petit et léger, le répertoire se glisse n'importe où et contient déjà un classement par ordre alphabétique. Il deviendra votre glossaire personnel.»

Les fiches de lecture. ■ «Vous répertoriez et résumez les éléments repérés lors de la lecture active», explique l'orthopédagogue. Plusieurs semaines peuvent s'écouler entre la lecture d'un texte et son utilisation, que ce soit pour un examen ou une recherche. Avant de le relire, l'étudiant pourra s'en tenir à ses fiches de lecture qui lui permettront de juger si la relecture est nécessaire.

À première vue, cette méthode de lecture semble laborieuse, mais elle a fait ses preuves. «Elle renforce le sentiment de compétence, ce qui motive les étudiants, note Denis Côté. Du coup, la lecture n'est plus aussi pénible.»

«Il est vrai que les périodes de lecture seront plus longues au début, reconnaît Josée Sabourin. Petit à petit, les étudiants seront plus habiles et gagneront du temps. Bref, l'essayer, c'est l'adopter!»

La critique : comment l'accepter et la formuler ?

Le choc générationnel observé sur le marché du travail n'épargne pas le milieu universitaire, surtout lorsqu'il est question de la critique. Des étudiants issus de la génération Y reprochent à des professeurs d'être trop durs dans leurs commentaires. Certains enseignants estiment pour leur part que les jeunes supportent mal la critique.

« Bien entendu, personne n'aime recevoir une rétroaction négative, observe Éric Tremblay, mais je ne crois pas que les étudiants d'aujourd'hui y soient plus sensibles que la génération précédente. »

Selon ce psychologue en aide à l'apprentissage du Centre étudiant de soutien à la réussite de l'Université de Montréal, c'est plutôt le rapport avec l'autorité qui s'est transformé. « Auparavant, on remettait peu en question l'avis d'un professeur, dit-il. Plus affirmée, la génération Y préfère argumenter quand elle est critiquée. Ce n'est pas nécessairement de la résistance, mais bien souvent un besoin de comprendre.»

Ce phénomène serait aussi attribuable à la pression sociale. «Nous vivons dans une société de performance. Les étudiants ont des attentes élevées par rapport à leur parcours professionnel», remarque Éric Tremblay.

Afin de transcender les clivages générationnels, il donne ces quelques conseils aux étudiants... et aux professeurs.

Étudiants, soyez proactifs

Recevoir des commentaires négatifs peut entraîner un tourbillon d'émotions. Avant de réagir, mieux vaut prendre un certain recul.

«Soyez à l'écoute de votre professeur et prenez le temps de bien analyser ce qu'il vous dit au lieu de songer à une riposte, ajoute le psychologue. Ayez l'esprit ouvert. Reformulez la critique dans vos propres mots afin de vous assurer d'avoir bien compris les corrections exigées.»

N'hésitez pas à demander plus de précisions à votre professeur. «Plus la rétroaction est claire, plus il est facile de s'y adapter», signale Éric Tremblay. Il recommande aux étudiants de dresser un plan d'action pour remédier à la situation. «Soyez proactif! C'est dans l'action qu'on réussit à s'améliorer.»

En effet, ruminer ses échecs ne sert à rien. «Relativisez la chose en vous remémorant vos succès. Gardez en tête que vous êtes à l'université pour apprendre et considérez la critique comme un outil de développement.»

Professeurs, concentrez-vous sur les comportements

Une critique faite à l'emporte-pièce peut avoir des effets dévastateurs sur la confiance d'un étudiant. C'est pourquoi il importe de la formuler avec doigté.

Une rétroaction de qualité devrait considérer les comportements et non l'individu, juge Éric Tremblay. «Dire à un étudiant qu'il n'est pas ponctuel le mettra automatiquement sur la défensive. Il est préférable de lui faire remarquer que les renseignements donnés lorsqu'il est absent lui seraient utiles. On souligne ainsi le comportement fautif sans pour autant tomber dans l'attaque personnelle.»

De plus, établissez vos priorités. «Prenons un professeur qui rencontre un étudiant dont il dirige la thèse. Il sera plus constructif pour lui de cibler certains problèmes plutôt que de déballer d'un coup tout ce qui ne va pas, ce qui risque de démotiver l'étudiant», explique Éric Tremblay.

La critique est beaucoup plus facile à accepter lorsqu'elle est faite seul à seul – l'humiliation devant les pairs ne vous attirera évidemment aucune sympathie – et qu'elle est accompagnée d'un avis positif. «C'est ce qu'on appelle la "méthode sandwich": on insère l'observation négative entre deux commentaires positifs. Cela fonctionne encore mieux quand on propose en prime des solutions.»

Enfin, le psychologue invite autant les professeurs que les étudiants à ne pas tomber dans une dynamique où l'on recherche qui a tort et qui a raison. «Cela crée des discussions sans fin, ce qui est loin d'être constructif.»

Les finances

La planification financière : un exercice incontournable

Faire un budget est une nécessité de la vie, et les étudiants n'y échappent pas. Ils vivent une réalité bien particulière et souvent complexe. Ils sont nombreux à vivre de prêts à la fois étudiant, familial et personnel. Certains possèdent plus de deux cartes de crédit. Et l'endettement n'est pas rare.

Les causes de cet endettement étudiant sont multiples. L'une d'entre elles est l'absence de planification financière. Peu de gens aiment s'astreindre à cet exercice qui, pourtant, peut venir à bout de bien des problèmes financiers. « Les étudiants ont du mal à établir un budget parce qu'ils ne savent pas comment faire, remarque Danielle Renaud, conseillère au Bureau de l'aide financière de l'Université de Montréal. Ils ont tendance à sous-estimer leurs dépenses et à surestimer leurs revenus. Et quand ils manquent d'argent, ils font appel au crédit, ce qui peut les entraîner dans un cercle vicieux. »

Voici donc le b.a.-ba de la planification financière :

Déterminer ses objectifs. ■ Pour vous aider à dresser votre budget, déterminez vos besoins en fonction de vos projets. « Évaluez vos objectifs en temps et en argent, c'est-à-dire de quelles sommes vous aimeriez disposer à tel ou tel moment», conseille Danielle Renaud. Par exemple, vous prévoyez partir en voyage à la fin de l'année, ce qui nécessitera 2000 $.

Établir son budget. ■ Faites d'abord la liste de vos revenus: gains d'emploi nets, prêts et bourses, retrait du régime enregistré d'épargne-études, aide familiale, etc. Puis analysez scrupuleusement vos dépenses. «Gardez toutes vos factures pendant un mois et comptabilisez-les dans votre budget», suggère Mme Renaud. À partir de là, cernez vos dépenses de base, comme la nourriture, le logement et les droits de scolarité. «Vous distinguerez alors parmi vos habitudes de dépenses ce qui relève des besoins et des désirs», dit-elle.

Soustrayez vos dépenses de vos revenus. Idéalement, ces derniers devraient dépasser les premiers. Si ce n'est pas le cas, priorisez: est-il nécessaire de manger tous les jours au restaurant? Ne pouvez-vous pas apporter votre repas?

Confronter le budget à la réalité. ■ Continuez de garder vos factures. Peut-être avez-vous oublié de compter le cappuccino que vous vous payez à l'occasion. «Cette dépense peut être de trop quand on a de faibles revenus», observe Danielle Renaud.

Avoir des assurances. ■ Il est tentant de supprimer les assurances médicale et dentaire de sa facture de droits de scolarité pour économiser. Pensez-y bien! La note sera salée si vous avez besoin de soins. Songez également à assurer vos biens. «Ce n'est pas une nécessité, mais si vous le faites, assurez-vous seulement pour le montant dont vous auriez besoin si vos effets personnels passaient au feu», signale Mme Renaud.

Prévoir le fonds de réserve. ■ Épargner n'est pas une tâche aisée quand on a peu de revenus. Danielle Renaud recommande tout de même de mettre une certaine somme de côté, aussi petite soit-elle. «En cas d'imprévu, vous pourrez vous en servir au lieu de recourir au crédit.» Un truc: programmez des virements automatiques dans un compte où il est difficile de faire des retraits.

Gérer le crédit. ■ Remboursez vos dettes en commençant par les outils de crédit qui ont les plus hauts taux d'intérêt. Si cet exercice est trop difficile, demandez conseil au bureau de l'aide financière de votre institution.

Se prévaloir des avantages fiscaux. ■ En tant qu'étudiant, vous bénéficiez d'une foule d'avantages fiscaux. Renseignez-vous. Vous pourriez faire d'importantes économies.

Réviser la planification. ■ Retour au premier point. Une planification financière devrait être révisée mensuellement. La réalité étudiante évolue rapidement. Il en va de même pour les projets, les revenus et les dépenses. «Ce qui est sûr, c'est que plus le temps passera, meilleur vous serez pour planifier vos dépenses», assure Danielle Renaud.

Comment tirer le maximum des avantages fiscaux et crédits d'impôt?

Benjamin Franklin a déjà dit qu'en ce monde rien n'est certain, à part la mort et les impôts. Il aurait pu ajouter que ces derniers, bien qu'inéluctables, peuvent néanmoins procurer quelques milliers de dollars d'économies aux étudiants qui soignent leurs déclarations de revenus.

Plusieurs évitent cette tâche fastidieuse sous prétexte que leur revenu n'est pas suffisamment élevé pour être déclaré. Erreur! «Tous les étudiants devraient remplir une déclaration d'impôts, ne serait-ce que pour cumuler les droits de cotisation au régime enregistré d'épargne-retraite dont ils pourront se prévaloir dans l'avenir», affirme Luc Lacombe, associé fiscaliste chez Raymond Chabot Grant Thornton et Fellow de l'Ordre des comptables agréés du Québec.

Produire sa déclaration de revenus permet également de toucher la prestation fiscale pour le revenu de travail, un crédit d'impôt fédéral remboursable qui vise à offrir un allègement fiscal aux travailleurs et aux familles de travailleurs à faible revenu, ainsi que la prime au travail, un crédit offert par Québec pour encourager les travailleurs à demeurer sur le marché du travail. «Pour un étudiant célibataire âgé de plus de 19 ans et ayant un revenu d'au moins 2400 $, cela représente une somme combinée qui peut atteindre 2000 $», calcule M. Lacombe.

Le gouvernement provincial a par ailleurs créé le crédit d'impôt pour solidarité. Les étudiants peuvent y avoir droit s'ils déclarent leur revenu et s'ils s'inscrivent au dépôt direct. Ils recevront un versement mensuel qui pourrait s'élever à une trentaine de dollars.

Évidemment, il y a les crédits d'impôt non remboursables pour les droits de scolarité et les frais d'examen et de manuels. Ces dépenses doivent dépasser 100 $. Vous avez la possibilité d'en profiter maintenant ou de les reporter. En effet, il pourra être avantageux de demander ce crédit lorsque vos revenus seront plus élevés. Le montant reporté est illimité. Sinon vous pouvez en transférer une partie à une autre personne, comme vos parents, vos grands-parents ou votre conjoint. «Par exemple, le fédéral accorde aux étudiants inscrits à temps plein 465 $ par mois, soit 400 $ pour les droits de scolarité et 65 $ pour l'achat de manuels. Si la personne est aux études pendant 10 mois, cela représente une déduction de 4650 $», explique Luc Lacombe. Notez que le montant transférable maximal est de 5000 $ et que vous seul pouvez demander ce crédit.

D'autres crédits d'impôt peuvent aussi se révéler fort intéressants. Les nouveaux diplômés peuvent obtenir des déductions relativement aux intérêts qu'ils ont payés sur leur prêt étudiant. Vous pouvez déduire vos frais de déménagement à condition de déclarer des bourses d'études ou des subventions de recherche imposables, par exemple une bourse pour un stage postdoctoral.

Il y a bien sûr le programme de crédit pour la TPS pour les contribuables dont le revenu est faible ou modeste. Ce remboursement totalise environ 250 $ pour l'année.

M. Lacombe invite enfin les étudiants qui n'ont pas d'assurances à déclarer leurs frais médicaux, pour lesquels ils peuvent obtenir un crédit et même un remboursement dans certaines situations.

Si l'idée de prendre quelques heures pour remplir votre déclaration de revenus ne vous séduit pas, faites appel à un comptable ou rendez-vous à l'un des nombreux comptoirs d'information fiscale qui sont mis sur pied dans les universités et les centres communautaires chaque printemps. « Il serait dommage de laisser autant d'argent sur la table… », remarque Luc Lacombe.

Pourquoi est-il avantageux de faire une demande de prêt et bourse?

Selon une étude menée en 2009 par le Canadian Education Project, 75% des étudiants de l'université connaissent très peu les programmes publics d'aide financière. En effet, plusieurs mythes circulent à leur sujet. Pas étonnant dès lors que plusieurs préfèrent la marge de crédit au prêt gouvernemental. «Bien des étudiants croient que le Programme de prêts et bourses du Québec est compliqué et entraîne beaucoup de paperasse. C'est pourquoi ils se tournent vers les emprunts bancaires», dit Sylviane Latour, directrice des ressources socioéconomiques aux Services aux étudiants (SAE) de l'Université de Montréal.

La marge de crédit peut cependant hypothéquer leur avenir. «Certes, ils ont parfois droit à des sommes importantes, mais les taux d'intérêt sont plus élevés. Lorsque vient le temps de rembourser, les étudiants sont pris à la gorge, ce qui crée beaucoup d'anxiété», remarque Danielle Renaud, conseillère au Bureau de l'aide financière des SAE.

Voici cinq bonnes raisons de faire sa demande de prêt et bourse:

Un prêt garanti. ■ Les prêts subventionnés par le gouvernement sont garantis. «Cela signifie que le gouvernement endosse le prêt et acquitte les intérêts», explique Mme Renaud.

Cette garantie vaut pendant toute la durée de la formation, ainsi que pendant une interruption des études inférieure à six mois.

Le faible taux d'intérêt. ■ Au moment du remboursement, un taux d'intérêt préférentiel s'applique. Il est actuellement de 3,5%. On est loin des taux d'intérêt des cartes de crédit frôlant les 20% ou même de ceux des marges de crédit, qui avoisinent les 10%.

«Cela compte beaucoup au moment du remboursement, affirme Mme Renaud. Par exemple, le montant total des intérêts courus sur une dette de 10 000 $ se chiffrera à environ 900 $ s'il est amorti sur cinq ans. Le paiement mensuel s'élèvera alors à 182 $. Et les étudiants peuvent diminuer ce coût en se prévalant du crédit d'impôt.»

Le crédit d'impôt. ■ Les intérêts payés sur les prêts étudiants à garantie gouvernementale sont déductibles d'impôts. Pour obtenir ce crédit, vous devez bien sûr remplir votre déclaration de revenus.

Si vous n'avez pas d'impôts à payer, il pourrait être avantageux de ne pas demander de montant pour tous vos intérêts. Le gouvernement fédéral vous permet de reporter le montant inutilisé et de le réclamer ultérieurement.

La remise de dette. ■ Le Programme de remise de dette est peu connu. Pourtant, la proposition est alléchante: une réduction de 15% de la dette est possible pour toute personne qui a terminé ses études dans les délais prévus et qui a reçu une bourse chaque année dans le cadre du Programme de prêts et bourses.

Les diplômés de premier cycle y ont droit. Ils peuvent également obtenir une remise pour la dette collégiale s'ils répondent aux critères. Ceux des cycles supérieurs y sont admissibles s'ils ont déjà bénéficié du Programme de remise de dette au premier cycle. Leur demande doit être faite dans les trois ans suivant la fin de leurs études.

Le remboursement différé. ■ À la fin des études, le gouvernement accorde une période de grâce de six mois pendant laquelle les étudiants sont exemptés du remboursement du capital de leur prêt. L'acquittement des intérêts est aussi reporté.

En cas de difficultés financières, les étudiants peuvent profiter par la suite du Programme de remboursement différé. Le gouvernement les libère du paiement de leur dette d'études pour un délai de six mois renouvelable quatre fois. Pendant ce temps, les intérêts sur le prêt seront payés et n'auront pas à être remboursés.

Comment dénicher la bourse d'excellence qui vous convient?

Chaque année, les universités québécoises offrent des millions de dollars en bourses d'excellence à leurs meilleurs étudiants. Et ces récompenses ne tiennent pas compte de celles octroyées par les grands conseils fédéraux et provinciaux ainsi que celles qui proviennent de multiples donateurs.

L'offre est si grande qu'il peut être difficile de s'y retrouver : bourses Vanier, bourses Banting, bourses de la Fondation Desjardins, bourses de la Fondation Berthelet-Aubin, bourses de l'Université libre de Berlin, bourses Québec-Luxembourg, alouette !

Pas de panique : suivez le guide.

Être à l'affût

Marie Marquis, vice-doyenne de la Faculté des études supérieures et postdoctorales de l'Université de Montréal, suggère d'abord aux étudiants de consulter les répertoires de bourses de leur établissement. « On y donne une idée générale des bourses offertes et des moments dans l'année où l'on dépose les dossiers de candidature », dit-elle.

La vice-doyenne invite aussi les étudiants à scruter les babillards de leur unité et à s'informer auprès de leurs professeurs, directeur de recherche et regroupement d'étudiants aux deuxième et troisième cycles.

« Il n'y a pas de recette miracle : il faut être à l'affût et se renseigner régulièrement », remarque Marie Robichaud, anciennement responsable du bureau des bourses à la FESP. Elle ajoute qu'il est dans l'intérêt de tout étudiant d'accumuler des bourses, aussi petites soient-elles, car, outre l'avantage financier direct qu'elles procurent, elles peuvent avantager le candidat lors de demandes aux grands organismes subventionnaires, qui sont très sélectifs.

Bourses à découvrir

Il y a des bourses pour quasiment tous les profils : les étudiants étrangers, les étudiants canadiens non-résidents du Québec, les doctorantes nouvellement mères, les doctorants en période de rédaction, les étudiants qui veulent passer du baccalauréat à la maîtrise, les étudiants très engagés dans la communauté… « Vous devez être attentif aux critères de sélection afin de soumettre votre candidature à la bourse qui correspond le mieux à votre situation », recommande Marie Marquis.

Généralement, les étudiants préfèrent s'inscrire aux concours de bourses des grands organismes subventionnaires, ajoute-t-elle. « Ces récompenses sont prestigieuses et leurs valeurs sont plus élevées. »

Certaines bourses méritent cependant d'être mieux connues. C'est le cas des bourses de recherche de premier cycle offertes par le Conseil de recherches en sciences naturelles et en génie du Canada (CRSNG). « C'est une façon d'initier les étudiants du baccalauréat à la recherche et aux études aux cycles supérieurs, explique Marie Robichaud. Les étudiants boursiers ont la chance d'occuper un emploi d'été dans un laboratoire ou un centre de recherche de leur choix, à condition que l'unité soit financée par le CRSNG. »

Elle mentionne aussi les bourses de recherche en milieu de pratique des fonds québécois de recherche, qui permettent aux étudiants d'acquérir une expérience professionnelle en entreprise.

Marie Marquis rappelle que, malgré l'excellence des dossiers déposés, tous les candidats ne reçoivent pas une réponse positive à leur demande. Raison de plus pour ne pas négliger les «petites» bourses. Une somme de 25 000 $ est certes alléchante, mais la mention d'une bourse de 2500 $ dans un curriculum vitæ peut se révéler profitable. «Ayez toujours à l'esprit qu'une bourse en attire une autre...», affirme la vice-doyenne.

Comment bien remplir votre demande de bourse?

Remplir une demande de bourse d'études n'est pas simple. Prenez un étudiant au doctorat qui désire obtenir une bourse du Conseil de recherches en sciences humaines du Canada. Sa demande doit comprendre, entre autres éléments, le formulaire électronique de demande de bourse de doctorat imprimé, dûment rempli et signé, une description de son programme d'études, une bibliographie de son projet de recherche, ses contributions à la recherche, tous ses relevés de notes et deux lettres de recommandation.

Inutile, donc, de préciser qu'il faut s'y prendre des semaines, voire des mois à l'avance, et que cette demande requiert le plus grand soin de la part de l'étudiant. « L'univers des bourses d'études est à l'image du marché du travail, c'est-à-dire que vous devez savoir vendre votre projet », déclare Marie Marquis, vice-doyenne de la Faculté des études supérieures et postdoctorales de l'Université de Montréal.

Dites tout

Premier conseil et non le moindre: mettez votre candidature en valeur. Mentionnez tout ce qui peut vous distinguer de vos concurrents. Les bourses, y compris les plus petites, les mentions d'honneur, les stages rémunérés ou non, les articles scientifiques – même si vous êtes le sixième auteur –, les charges de cours, les tâches d'auxiliaire d'enseignement, les participations à des colloques, les médailles, les rapports de stage, les activités de bénévolat... tout compte.

«Ne soyez pas modeste, car toute cette information est susceptible de démontrer votre intérêt et votre potentiel pour la recherche», insiste Mme Marquis. Sa collègue Marie Robichaud, anciennement responsable du bureau des bourses à la FESP, renchérit: «Un jury qui doit choisir entre deux étudiants ayant des expériences scolaires comparables basera en partie sa décision sur les lignes supplémentaires qui se trouvent à la fin du curriculum vitæ de l'un ou de l'autre.»

Mais attention! N'enjolivez pas indûment votre dossier. «Soyez honnête, indique Mme Robichaud. Ne dites pas que vous avez été boursier dans un laboratoire alors qu'en fait, c'était un stage obligatoire. Les comités de sélection savent lire entre les lignes...»

Assurez-vous de n'avoir dans votre CV aucun temps mort entre deux périodes de formation qui ne puisse être justifié. Par exemple, si vous avez manqué six mois de cours en raison d'une maladie, il est préférable d'annexer un certificat médical à votre dossier pour l'expliquer.

Les lettres de recommandation

Les professeurs qui rédigeront vos lettres de recommandation doivent bien vous connaître. «Il est impensable d'écrire une recommandation pour un étudiant qu'on a connu brièvement au tout début du baccalauréat et qui est maintenant à la maîtrise. Ce document doit être personnalisé», affirme Marie Marquis.

C'est pourquoi il est pertinent d'alimenter la réflexion de vos répondants même si vous entretenez une bonne relation avec eux. Parlez-leur de vos forces, de vos projets et de vos aspirations. Remettez-leur votre curriculum et votre relevé de notes.

«N'oubliez pas de demander ces lettres plusieurs semaines avant l'envoi de votre dossier, recommande Marie Robichaud. Elles ne s'écrivent pas en criant ciseau et les professeurs ont un horaire très chargé.»

Les derniers petits trucs

Voici, en vrac, quelques derniers petits trucs pour parer tous les coups: faites lire votre demande par votre directeur de recherche ou l'un de vos répondants; vérifiez bien les dates internes de remise des dossiers; révisez les critères d'admissibilité; rédigez votre demande dans un langage clair et concis, et évitez le jargon propre à votre domaine; votre français ou votre anglais doit être irréprochable; assurez-vous que votre relevé de notes est récent.

Et si, malgré tout, votre demande est refusée? «Recommencez! lance Marie Marquis. Un refus ne signifie pas que votre dossier était mauvais. Au contraire, vous faites sans doute partie des meilleurs. La compétition est féroce et il faut redoubler d'efforts.»

Les bourses de soutien et d'implication : vous connaissez ?

L'excellence du dossier scolaire n'est pas le seul moyen de décrocher une bourse d'études. L'engagement social et le besoin d'un soutien financier peuvent également faire de vous des candidats recherchés pour les bourses de soutien et d'implication.

«Ces bourses sont méconnues parmi les étudiants, et parfois même parmi les membres du personnel universitaire, et pourtant il en existe une centaine», signale Chantal Noël, conseillère en bourses d'études aux Services aux étudiants de l'Université de Montréal.

Les bourses de soutien financier

Elles sont offertes aux étudiants persévérants qui ont un parcours difficile en raison de ressources financières limitées. «Grâce à ces bourses, les étudiants concernés pourront, par exemple, diminuer leurs heures de travail pour se consacrer à leurs études», explique Chantal Noël.

Les candidats sont évalués en fonction de leur situation financière et personnelle et des efforts qu'ils ont fournis pour financer leur projet d'études. «Vous devez remplir les formulaires avec rigueur et précision, conseille Mme Noël. Il faut bien présenter votre situation, indiquer clairement vos revenus et dépenses, mettre en évidence les éléments qui vous distinguent des autres demandeurs de bourses et mentionner les démarches entreprises afin de remédier à votre manque de ressources.»

Soyez clair, cohérent et surtout très honnête. «Aux yeux du jury, votre formulaire est votre unique porte-parole, rappelle la conseillère. Sachez que plusieurs renseignements peuvent être vérifiés et que les évaluateurs connaissent les coûts réels de la vie étudiante. Si une dépense sort de l'ordinaire, employez-vous à la décrire correctement et à fournir des pièces justificatives. Ainsi, il sera indispensable de préciser la raison d'un débours de 2000 $ dans votre budget s'il s'agit d'une dépense irrégulière comme l'achat d'un ordinateur.»

Chantal Noël invite par ailleurs les étudiants à tenter leur chance pour ces bourses, même celles qui offrent des sommes plus modestes. «Une bourse de 500 $, ce n'est peut-être pas le gros lot, mais cela aide à payer l'épicerie», observe-t-elle.

Les bourses d'implication

Les étudiants récompensés par ces bourses ont apporté une contribution à la communauté en mettant en route des projets socialement engagés ou en y participant de manière bénévole.

«Nous sommes persuadés que de nombreux projets d'entraide ou à visée culturelle ou environnementale sont entrepris sur les campus et méritent d'être reconnus, mais les étudiants ont tendance à minimiser leur action, affirme Chantal Noël. Il ne faut pas hésiter à présenter une demande, même pour les petits engagements.»

La somme remportée n'est pas le seul avantage associé aux bourses d'implication. «Les gagnants font connaître leur projet et, par le fait même, peuvent trouver des partenaires ou entrer en contact avec des gens qui les aideront à aller plus loin dans leurs actions ou dans leurs recherches de financement», souligne Mme Noël.

Elle suggère aux étudiants intéressés par ces bourses de bien documenter leur dossier de candidature. «Illustrez les retombées positives engendrées par vos actions bénévoles ou votre projet, que ce soit par des chiffres ou des témoignages. Notez la durée et la fréquence de votre participation.»

Enfin, dit-elle, consultez le répertoire de bourses de votre établissement afin de saisir toutes les occasions, participez aux ateliers de recherche de bourses et n'hésitez pas à demander une consultation individualisée pour vous soutenir dans vos démarches.

Tout sur le bail

Plusieurs aspects du bail sont méconnus des locataires, particulièrement des étudiants. Cela peut provoquer des mésententes et des conflits inutiles. «Porter une cause devant la Régie du logement du Québec est un processus long et problématique, surtout pour les étudiants étrangers qui, en raison de leur retour éventuel dans leur pays, risquent de ne jamais en voir l'issue», remarque Yannick Nantel, coordonnateur du logement hors campus des Services aux étudiants de l'Université de Montréal.

Pour vous éviter des ennuis avec votre propriétaire, voici quelques éléments du bail à connaître sur le bout de vos doigts.

Un contrat

«La plupart des locataires ne savent pas que le bail est un contrat, déclare M. Nantel. L'une des principales obligations du propriétaire est de procurer la jouissance paisible des lieux. En échange, le locataire s'engage à payer son loyer à la date prévue.»

Par écrit

Le bail étant un contrat, il vaut mieux que les clauses soient mises noir sur blanc. «Certains propriétaires proposent des ententes verbales, ce qui n'est pas une bonne idée, mentionne le coordonna-teur. Cela peut devenir très compliqué si des problèmes surviennent et nécessitent des démarches judiciaires.» Demandez à votre loca-teur de remplir le formulaire de bail de la Régie du logement qu'on peut se procurer pour la somme de 2 $ dans les pharmacies, les dépanneurs et les librairies. Assurez-vous d'obtenir votre copie dans les 10 jours suivant la signature du bail.

La durée

Selon la croyance populaire, un bail a une durée de 12 mois. Mais ce n'est pas toujours le cas. C'est à vous de vous entendre avec le propriétaire sur sa durée. «Les locateurs des banques de logements hors campus offrent souvent des baux ayant une durée plus adaptée à la réalité du calendrier scolaire», fait remarquer Yannick Nantel.

La protection des renseignements personnels

À la signature du bail, le propriétaire vous demandera de produire une pièce d'identité pour connaître vos nom, prénom et adresse. Il ne peut exiger que vous lui donniez votre numéro d'assurance sociale ou que vous lui montriez votre permis de conduire, votre carte d'assurance maladie ou votre numéro de compte de banque. Il n'a pas non plus le droit de vous demander une preuve de revenu. Votre capacité à payer sera démontrée par une lettre de recom-mandation d'un ancien propriétaire, d'un employeur ou de votre établissement financier.

La section G

Peu le savent, mais le propriétaire est tenu d'écrire dans la section G du bail le loyer le plus bas payé au cours des 12 derniers mois. S'il ne le fait pas, c'est qu'il cherche peut-être à augmenter de façon substantielle le loyer... ce qui est illégal!

L'accès au logement

Pendant la durée de votre bail, le propriétaire peut accéder à votre appartement pour en vérifier l'état ou y effectuer des travaux en vous donnant un préavis de 24 heures. Si le bail n'est pas reconduit et que le locateur souhaite faire visiter les lieux à des locataires potentiels, ce préavis n'est plus nécessaire, mais il doit néanmoins obtenir votre permission.

«Casser» votre bail

Vous pouvez résilier votre bail en donnant un avis de trois mois à n'importe quel moment et pour n'importe quelle raison. «C'est un mythe tenace», reconnaît M. Nantel. Seuls quelques cas précis le permettent; autrement vous devez régler cette situation à l'amiable et confirmer le tout par écrit. De plus, le non-renouvellement du bail nécessite l'envoi d'un avis par le locataire dans les délais prescrits, sans quoi le bail est automatiquement reconduit.

En cas de problème

«Ne vous faites jamais justice vous-même, rappelle Yannick Nantel. Cela ne vous favorisera jamais si votre cause est portée devant la Régie.» La stratégie la plus sage est de poursuivre vos paiements tout en entreprenant des démarches pour démontrer les préjudices dont vous avez été victime.

Pour savoir quoi faire dans les différentes situations, n'hésitez pas à communiquer avec l'équipe du logement hors campus de votre université et à consulter les sites Web suivants:

www.logement.umontreal.ca
www.educaloi.qc.ca
www.monappart.ca

Les études supérieures

Les études aux cycles supérieurs: est-ce pour vous?

Pour certains étudiants, la question ne se pose même pas: ils doivent continuer leurs études aux cycles supérieurs s'ils souhaitent obtenir un titre professionnel. Par exemple, un psychologue doit posséder un doctorat pour pratiquer.

Pour d'autres toutefois, le chemin à suivre n'est pas aussi clair. Que gagne-t-on à décrocher un diplôme de deuxième cycle après un baccalauréat en traduction, en communication ou en enseignement du français au secondaire? «Tout dépend de votre domaine d'études et de vos objectifs professionnels», répond Janique Gagnon, conseillère en orientation au Centre étudiant de soutien à la réussite de l'Université de Montréal.

Si vos aspirations sont encore floues, il peut être profitable de rester à l'affût des postes offerts dans votre secteur, ce qui vous donnera un aperçu des offres sur le marché et des exigences qui y sont associées. Cette démarche peut être entreprise dès la première année du baccalauréat.

Poussez cette réflexion un peu plus loin. Avez-vous un bon dossier scolaire? Faites-vous preuve d'esprit critique? Êtes-vous autonome, motivé, persévérant et structuré? Aimez-vous trouver de nouvelles idées et approfondir vos connaissances? Avez-vous de solides habiletés en communication orale et écrite? Si vous avez répondu oui à toutes ces questions, c'est que vous êtes un bon candidat pour la maîtrise.

Cet exercice d'introspection vous aidera à déterminer le type de maîtrise qui vous correspond le mieux. «Si vous aimez l'action et les stages, vous préférerez sans doute la maîtrise professionnelle, mentionne Janique Gagnon. La maîtrise de type recherche conviendra davantage à ceux qui visent l'enseignement universitaire et la recherche scientifique.»

Que faire si cette analyse ne vous mène nulle part? «Consultez un conseiller en orientation, recommande Mme Gagnon. Si l'hésitation perdure, vous ne serez pas motivé à poursuivre votre projet professionnel et scolaire.»

Démarches exploratoires

Afin de mieux cerner vos objectifs, réfléchissez au sujet de recherche que vous souhaiteriez creuser. Faites des recherches sur les essais ou les mémoires liés à votre branche d'études et lisez-les. Et surtout, discutez avec des professeurs partageant vos champs d'intérêt en recherche.

Il faut cependant reconnaître que ces rencontres exploratoires avec des spécialistes renommés peuvent se révéler intimidantes. «Arrivez donc bien préparé, comme vous le feriez pour une entrevue d'embauche. Cela incitera d'autant plus les professeurs à vous donner un coup de main», affirme la conseillère.

Vous obtiendrez alors plus d'information sur des lectures qui se rapportent à votre sujet de recherche, les possibilités de bourses, le type d'encadrement ou la charge de travail d'un étudiant à la maîtrise.

Ce premier contact est parfois le début de grandes choses. «Vous créez des liens avec ces professeurs, signale Mme Gagnon. L'un d'entre eux sera peut-être votre directeur de recherche, qui sait?»

La maîtrise n'est pas une «suite logique»

Des étudiants s'inscrivent parfois à la maîtrise en raison de pressions sociales ou familiales. D'autres le font afin de repousser l'entrée sur le marché du travail, en présumant que la maîtrise est une «suite logique» de leurs études de premier cycle. Selon Janique Gagnon, «c'est une mauvaise idée, car les risques de décrochage sont beaucoup plus élevés quand on ne sait pas où l'on va». Il est donc important de vérifier si ce diplôme est un atout dans votre domaine pour accéder à certains postes ou milieux de travail.

Si vos objectifs demeurent ambigus, prenez une pause, travaillez dans votre secteur, acquérez de l'expérience, dit la conseillère en orientation. «Si vous décidez par la suite d'entamer une maîtrise, vous le ferez pour vous spécialiser ou vous réorienter dans une autre discipline. Voilà des motivations claires!»

Comment trouver le directeur de recherche qu'il vous faut?

Vous songez à entamer une maîtrise ou un doctorat en recherche? Avant même de remplir votre demande d'admission, vous devez dénicher LE professeur qui vous dirigera. Cette quête est aussi cruciale que délicate. « Le choix du directeur de recherche est déterminant dans la réussite de ses études. Mais il est vrai que les étudiants sont intimidés à l'idée de rencontrer des professeurs ayant une feuille de route impressionnante », confirme Roch Chouinard, doyen de la Faculté des études supérieures et postdoctorales de l'Université de Montréal.

Inutile de vous faire un sang d'encre. Il suffit de considérer ces rencontres comme des entrevues d'embauche mutuelle. Le professeur et l'étudiant s'analysent l'un l'autre, évaluant si le courant passe entre eux. Et comme vous le feriez pour une entrevue, vous devez vous préparer. M. Chouinard conseille aux étudiants de visiter le site Web de leur département ou faculté. « Prenez connaissance du contenu de votre programme. Voyez ensuite quels sont les champs de recherche des professeurs. Vous serez plus à même de cibler les directeurs de recherche potentiels.»

Ensuite, faites vôtre la devise de Socrate: «Connais-toi toi-même.» «Les étudiants doivent définir leurs besoins en matière d'encadrement», affirme Josée Sabourin, psychologue en aide à l'apprentissage au Centre étudiant de soutien à la réussite de l'Université de Montréal. Êtes-vous très autonome ou, au contraire, préférez-vous un suivi étroit?

À partir de cette analyse, vous pourrez dresser une liste de questions à poser durant vos rencontres. À quelle fréquence le professeur voit-il ses étudiants? Quel rythme de production exige-t-il? À quel moment se font les évaluations?

Roch Chouinard invite les étudiants à questionner le professeur sur ses activités de recherche et la possibilité d'y être intégré. «N'oubliez pas qu'on devient chercheur en faisant de la recherche», dit-il.

Une fois cette préparation achevée, demandez un rendez-vous à deux ou trois professeurs qui vous allument. Faites-le de préférence par courriel, de façon succincte, en précisant vos champs d'intérêt en recherche. «Ne leur demandez pas de vous encadrer dans ce premier courriel. Pour ma part, je n'accepte jamais de diriger un étudiant avant de l'avoir rencontré», ajoute M. Chouinard.

Le patron, le consultant et le collègue

Une fois assis dans le bureau du professeur, soyez attentif au style d'encadrement que ce dernier propose. «On trouve trois types de directeur de recherche: le patron, le consultant et le collègue», explique Josée Sabourin.

Le patron suivra ses étudiants de façon plus serrée, ce qui peut s'avérer être une source de réconfort pour les plus anxieux. «Toutefois, l'étudiant peut sentir qu'il n'a pas l'espace nécessaire pour apporter sa marque au projet de recherche», ajoute la psychologue.

Le consultant laissera plus de liberté à l'étudiant. «Les personnes plus autonomes l'apprécieront, mais elles devront sans doute s'habituer à voir leur directeur ne pas répondre immédiatement à leurs demandes», note Mme Sabourin.

Enfin, le collègue établira un rapport plus amical avec ses étudiants, ce qui peut être problématique à long terme. «Une confusion des rôles peut s'installer, car la relation demeure hiérarchique.» La psychologue signale par ailleurs que cette typologie des caractères n'est pas fixe et que «le plus important est de se sentir en confiance avec son directeur».

Et, insiste-t-elle, prenez des notes durant votre première rencontre! «Sinon vous oublierez tout. De plus, vous aurez de fortes chances de susciter la sympathie du professeur.» Ce qui est le cas, selon Roch Chouinard. «Je m'attends à ce que l'étudiant soit informé, préparé, responsable et surtout très motivé!» Ne dit-on pas que c'est la première impression qui compte?

Les défis de la cotutelle de thèse

Un doctorant qui s'engage dans une cotutelle de thèse verra la vie en double. Il sera formé et encadré par un duo de directeurs de recherche, le premier dans une université québécoise, le second dans un établissement d'enseignement supérieur à l'étranger. Il effectuera ses travaux dans les deux institutions et, si tout va bien, se verra décerner un diplôme unique sous la forme de deux parchemins délivrés respectivement par les universités en question mentionnant leur collaboration.

Avec une cotutelle, un étudiant multiplie par deux l'enrichissement scientifique qu'il tirera de cette formation... mais double aussi les responsabilités et les défis normalement associés au parcours doctoral!

«Une cotutelle, c'est prestigieux. Cela ouvre les portes d'une carrière internationale. Cependant, c'est très exigeant», observe Richard Patry, vice-doyen et secrétaire de la Faculté des études supérieures et postdoctorales de l'Université de Montréal.

«Cela leur donne une nouvelle perspective de leur univers disciplinaire», ajoute Francine Rheault, agente de recherche et de planification responsable des cotutelles au Service de soutien académique de l'Université du Québec à Montréal.

Les programmes de cotutelles de thèses ont pour objectif d'encourager la coopération scientifique entre les équipes de recherche étrangères et québécoises en favorisant la mobilité des doctorants.

Les étudiants qui suivent ce parcours sont souvent ceux qui réussissent le mieux et, conséquemment, qui sont les plus enthousiastes. Une qualité essentielle, selon Stéphanie Tailliez, conseillère en cotutelle, international et programmes conjoints de la FESP, qui ajoute: «Ils doivent être prêts à y investir beaucoup d'énergie parce que cela ne se fait pas en claquant des doigts!»

Discipline, organisation… et patience

Le doctorant doit d'abord s'assurer que ses directeurs ont déjà collaboré l'un avec l'autre à des recherches et à des publications ou encore à l'organisation de colloques, de séminaires ou de conférences. «On ne se le cachera pas: travailler avec un seul directeur peut se révéler compliqué. Alors, imaginez avec deux!» remarque Mme Tailliez.

Une bonne communication est donc indispensable. «Vous devez toujours vous assurer que vos directeurs sont en lien, et vous-même devez maintenir le contact avec eux», affirme Francine Rheault.

Sachez par ailleurs que la cotutelle ne sera effective que lorsqu'une convention aura été conclue entre vos deux universités. Ce contrat stipulera les exigences pédagogiques de votre programme d'études et précisera le temps que vous passerez dans chaque établissement, les droits de scolarité à payer, le déroulement de l'examen de synthèse et de la soutenance de thèse, etc.

En parallèle, le doctorant entreprendra des démarches pour être admis dans les deux universités, ce qui n'est pas forcément simple. «Chaque établissement a ses formalités, signale Stéphanie Tailliez. Par exemple, l'un exigera que la convention soit signée, l'autre pas.»

Cela implique donc un suivi serré du dossier, même après l'inscription. «Ici, nous travaillons avec un calendrier trimestriel, alors qu'en France il est annuel, poursuit la conseillère. Il y a des conséquences sur les frais de scolarité qui sont payés en fonction de ces périodes. Si les étudiants ne restaient qu'un trimestre en France, ils devraient quand même payer les frais pour une année entière. Et demander un remboursement partiel peut s'avérer très compliqué. C'est pourquoi nous recommandons aux étudiants de passer une année complète dans chaque établissement.»

Bref, une cotutelle demande de l'initiative, de la discipline, de l'organisation et une très grande patience! Mais le jeu en vaut la chandelle. En prime, vous pourriez terminer plus tôt! «On remarque que ces doctorants finissent un peu plus vite que les autres», confirme Richard Patry.

Comment gérer les conflits entre un étudiant et un directeur de recherche?

Le lien qui unit un étudiant à son directeur de recherche est unique et complexe. Ce n'est pas une relation amicale ni un rapport professionnel traditionnel. «Cela relève davantage de la relation maître-apprenti du Moyen Âge», estime Roch Chouinard, doyen de la Faculté des études supérieures et postdoctorales de l'Université de Montréal.

Mais comme dans toute relation interpersonnelle, il peut surgir des conflits. Comment les régler quand on est un nouveau venu aux cycles supérieurs qui n'a jamais vécu un tel rapport? «Les étudiants ont peu d'éléments de référence en la matière, et un différend avec leur directeur peut prendre une importance démesurée compte tenu des enjeux, c'est-à-dire leur projet de recherche et leur réussite scolaire», constate Josée Sabourin, psychologue en aide à l'apprentissage au Centre étudiant de soutien à la réussite de l'Université de Montréal.

La prévention est toujours la première option. Elle se fait en deux temps, selon Roch Chouinard. «Tout d'abord, assurez-vous d'avoir des atomes crochus, car cette relation durera plusieurs années. Ce conseil vaut autant pour le professeur que pour l'étudiant. Le premier doit prendre le temps de choisir les étudiants qu'il encadrera, et le second doit rencontrer au moins quelques directeurs potentiels avant de prendre sa décision.»

Par la suite, les parties discutent de leurs attentes respectives qui peuvent être consignées par écrit. «Vous éviterez de petits irritants qui peuvent causer un mauvais climat de travail», signale le doyen.

Cependant, ajoute-t-il, «la prévention n'empêche pas tous les problèmes, elle en limite seulement le nombre et la gravité».

Quand il y a conflit

Les premiers signes de désaccord sont aisément reconnaissables: l'absence de contact entre l'étudiant et le directeur ainsi que des divergences d'opinions fréquentes et insurmontables. Dans ces cas, Josée Sabourin et Roch Chouinard recommandent aux parties de s'asseoir pour trouver un terrain d'entente, avant d'envisager une rupture définitive.

Voici les quatre règles qui peuvent vous aider à régler ce genre de conflit:

Les conflits font partie de la vie. ■ «Le savoir aide à y réagir de manière proactive», remarque Mme Sabourin.

Dépersonnalisez le litige. ■ «Ce n'est pas la faute de l'étudiant ni du directeur, affirme la psychologue. C'est plutôt la dynamique relation-nelle et de travail qui est en cause. Le voir ainsi permet de garder une saine distance.» En ce sens, formuler vos propos comme si vous vous adressiez à un patron peut aider. Au lieu de dire, par exemple: «Je trouve vos commentaires durs à mon égard et je ne sais pas quoi en faire», il vaudrait mieux exprimer votre inquiétude par une question comme celle-ci: «Êtes-vous satisfait de l'utilisation que je fais de vos commentaires après nos rencontres?»

Désamorcez la situation au plus vite. ■ «Sinon elle se dégradera rapidement», constate M. Chouinard.

Cernez le type de conflit et reprécisez vos attentes. ■ «Y a-t-il une confusion dans les informations partagées? Est-ce plutôt les méthodes de travail qui sont en cause? Les rôles sont-ils mal définis? Y a-t-il des mésententes quant aux valeurs ou aux idéologies?» demande Josée Sabourin. La réponse à ces questions vous aidera à revoir vos attentes. «C'est le moment de réviser l'entente de départ en fonction des problèmes ciblés», mentionne le doyen. Selon lui, ce plan devrait être revu annuellement.

Si le différend ne peut être réglé, les parties devront s'informer du *modus operandi* pour cesser la direction de recherche. Sachez toutefois que les conséquences d'une séparation peuvent être importantes, voire dramatiques. «Changer de directeur n'est pas une mince affaire, indique Roch Chouinard. L'expertise requise pour superviser la recherche d'un étudiant peut être si précise qu'il sera difficile pour ce dernier de trouver quelqu'un d'autre. Cela peut remettre en cause le projet d'études, allonger grandement le temps requis pour le mener à terme ou même conduire à l'abandon des études.»

Pour ce qui est du directeur de recherche, ajoute-t-il, la fin inopinée de l'encadrement représente une déception sur le plan professionnel et donne l'impression d'avoir investi du temps malheureusement perdu.

C'est pourquoi les efforts fournis pour résoudre le conflit en valent la peine. «De tels litiges surviendront au cours de votre future carrière et c'est une occasion d'apprendre à les gérer efficacement», renchérit Josée Sabourin.

Qu'est-ce que l'éthique de la recherche?

Longtemps, la recherche scientifique a agi selon ce proverbe: «On ne fait pas d'omelette sans casser des œufs.» Au nom de la science, on a effectué des expériences discutables sur des populations diverses et vulnérables (enfants, handicapés, minorités ethniques, prisonniers, patients, etc.) sans jamais se soucier de l'individu.

Ces dérapages ont amené la société à se questionner sur les enjeux éthiques liés à la recherche. «Nous devons désormais prendre en considération à qui appartiennent les œufs et comment nous distribuerons de façon équitable l'omelette», illustre Simon Hobeila, éthicien intérimaire au Comité universitaire d'éthique de la recherche (CUER) de l'Université de Montréal.

L'éthique de la recherche vise la protection des êtres humains qui prennent part à la recherche scientifique. «Elle est fondée sur le respect des personnes, le souci de leur bien-être et de la justice», précise François Bowen, président du CUER.

On retrouve ces principes dans l'Énoncé de politique des trois Conseils: éthique de la recherche avec des êtres humains, la référence en cette matière au sein des universités canadiennes, ainsi que dans des dispositions du Code civil du Québec.

«En pratique, nous veillons à minimiser les risques associés à la recherche, nous nous assurons que les sujets qui participent aux études scientifiques le font de plein gré et en toute connaissance de cause et nous aidons les chercheurs et les étudiants à respecter leurs obligations envers ces derniers», signale M. Bowen.

De plus, si les grands principes de la recherche ne sont pas suivis à la lettre, «cela remet en question la validité des résultats sur lesquels la communauté scientifique base ses interprétations et le développement de nouvelles connaissances», ajoute de son côté Serge Striganuk, président du comité d'éthique de la recherche Éducation et sciences sociales de l'Université de Sherbrooke.

L'approbation éthique

Pour les étudiants des cycles supérieurs, l'éthique de la recherche prend tout son sens quand vient le temps d'obtenir l'approbation du comité d'éthique. «Dès qu'on fait de la recherche impliquant des êtres humains, on a besoin de l'assentiment d'un comité d'éthique de la recherche (CER) avant de procéder au recrutement des participants», résume Simon Hobeila.

Les CER emploient des conseillers en éthique de la recherche ou d'autres personnes-ressources qui peuvent répondre aux questions des étudiants.

«Les étudiants appréhendent souvent cette évaluation, remarque l'éthicien. Pourtant, nous ne sommes pas un tribunal. Notre but est d'aider les étudiants à faire en sorte que leur recherche respecte les participants.»

François Bowen invite les étudiants à ne pas courir de risque: «Même si vous croyez que votre recherche ne nécessite pas d'évaluation, vérifiez auprès de votre CER.» Si, par malheur, vous poursuivez votre projet alors que vous aviez besoin d'une approbation, vous seriez potentiellement en situation de manquement aux règlements applicables. On pourrait même refuser de vous accorder votre grade. «Et certaines revues scientifiques rejetteront vos articles», ajoute Simon Hobeila.

La procédure pour obtenir cet aval est simple: une fois votre projet accepté par votre directeur de recherche, vous communiquez avec votre CER pour vérifier s'il doit être évalué. Si c'est le cas, vous vous rendez sur le site Web du comité et montez un dossier qui répond aux exigences.

«Ces documents devraient être remplis au fur et à mesure que l'étudiant établit son devis de recherche. Cela évitera bien des problèmes», estime François Bowen.

Vous pouvez déposer votre dossier en tout temps au comité et devez compter au moins trois semaines pour obtenir l'évaluation de votre projet. Pour éviter des délais inutiles, prenez connaissance du calendrier des réunions du CER.

On vous transmettra ensuite les commentaires du comité auxquels vous devrez répondre afin d'obtenir l'approbation de votre projet. Attention, il ne s'agit pas d'un chèque en blanc, précise M. Hobeila. «Ce feu vert concerne le projet déposé. Si vous y apportez des changements, vous devez en informer votre CER.»

Incompréhensions fréquentes

Certains aspects de l'éthique de la recherche échappent souvent aux étudiants, à commencer par le consentement libre et éclairé des participants âgés de 14 à 18 ans. En effet, il arrive que des étudiants estiment que les adolescents de 14 ans et plus qui, en vertu du Code civil du Québec, peuvent consentir à des soins de santé, peuvent aussi accepter de participer à une recherche sans l'accord de leurs parents. «Il y a confusion, note Serge Striganuk. Les mineurs ne peuvent sous aucune condition prendre part à la recherche sans le consentement de leurs parents.»

Les chercheurs en herbe sous-estiment à l'occasion l'équilibre entre les risques et les bienfaits de leur recherche. «Il faut faire très attention à la sollicitation des participants, indique M. Striganuk. Prenez un doctorant qui se rend dans une classe pour faire remplir un questionnaire aux élèves en difficulté d'apprentissage. Il cible clairement cette clientèle qui peut se sentir lésée. Cela peut amplifier leurs problèmes, saper leur estime de soi, leur faire revivre des émotions négatives. Pendant ce temps, l'étudiant a-t-il réfléchi à des moyens pour compenser ces risques, comme offrir des services psychologiques à ces élèves?»

Autre élément d'incompréhension: la confidentialité. Les étudiants respectent la confidentialité des données lors de leur collecte, mais ce souci ne se transpose pas toujours dans la rédaction de leur mémoire ou de leur thèse. «Ils doivent assurer aux participants qu'on ne pourra les reconnaître en tout temps, mentionne Serge Striganuk. Cela veut dire qu'ils ne doivent pas donner d'indices dans leur écriture de façon à induire des associations. Par exemple, il vaut mieux éviter de préciser que la collecte de données a eu lieu dans une école de 2000 élèves dans un quartier défavorisé de telle ville. C'est trop précis.»

Les six étapes psychologiques de la rédaction aux cycles supérieurs

Les étudiants comparent fréquemment la rédaction de leur mémoire ou de leur thèse à la naissance d'un enfant. Comme dans tout accouchement, ils vivent des hauts et des bas. Les spécialistes parlent d'ailleurs des «six étapes psychologiques de la rédaction aux cycles supérieurs».

«Les étudiants pensent qu'ils sont seuls à vivre ces émotions, alors que c'est un parcours tout à fait normal. Connaître ces étapes permet de trouver des ressources pour s'en sortir», affirme Josée Sabourin, psychologue en aide à l'apprentissage au Centre étudiant de soutien à la réussite de l'Université de Montréal.

L'enthousiasme. ■ Au début de la recherche, les étudiants sont très stimulés par la nouveauté de leur projet. «Ils sont enthousiastes à l'idée d'apprendre à faire de la recherche et à contribuer à l'avancement des connaissances», explique Mme Sabourin. Après quelques mois, voire une année, la routine s'installe...

La solitude. ▪ C'est à ce moment que les chercheurs en herbe ressentent la solitude. «Tous ne vivent pas cette période de la même façon, mais généralement on remarque que les étudiants prennent conscience de l'aspect solitaire de la rédaction, observe la psychologue. Parfois, ils ont peu de contacts avec leur directeur. Ils s'isolent de leurs proches qui comprennent peu leur sujet de recherche. D'autres entretiennent beaucoup d'espoir par rapport au travail d'équipe en laboratoire. Cependant, les relations humaines étant ce qu'elles sont, il est possible que ce ne soit pas aussi agréable qu'ils l'espéraient.»

Vers l'indépendance. ▪ Plus la recherche progresse, plus les étudiants maîtrisent leur sujet. Un sentiment de compétence émerge et alimente leur motivation. «Le véritable plaisir de la recherche commence, note Josée Sabourin. Ils accumulent des connaissances, ont moins besoin d'être rassurés par leur directeur, bref, ils deviennent indépendants.»

L'ennui et la frustration. ▪ Néanmoins, les écueils surviennent: une collecte de données qui s'avère infructueuse; un directeur de recherche qui part en congé de maladie; le manque de temps et de ressources; des questions qui en entraînent constamment d'autres... «Les étudiants sont confrontés au doute qui fait partie intégrante de la recherche et aux tâches répétitives comme les lectures et l'écriture. Il en résulte de l'ennui et de la frustration qui engendrent une baisse de motivation.»

Un travail à finir. ▪ La dernière ligne droite de la rédaction porte habituellement ses fruits. «C'est une période où l'on vit de l'impatience, car on veut en finir», précise Mme Sabourin. Les étudiants gèrent alors mieux la solitude, l'ennui, l'anxiété et la frustration. Les tâches sont plus claires et les rencontres avec le directeur, plus fréquentes. Ce sont les plus déterminés qui franchiront la ligne d'arrivée.

L'euphorie et l'angoisse. ■ Voilà, la recherche est remise! Cette étape s'accompagne d'une douce euphorie doublée d'une certaine angoisse. «La soutenance de thèse et l'entrée sur le marché du travail en inquiètent plusieurs», estime la psychologue.

Comment s'en sortir

Sachez d'abord que les périodes difficiles ne s'éternisent jamais et que vous avez le pouvoir de vous prendre en main. «Soyez proactif quant à votre solitude, recommande Josée Sabourin. Entretenez vos réseaux personnel et professionnel.»

Vous surmonterez votre ennui et votre frustration en participant à des activités qui nourriront votre sentiment de compétence, comme une présentation à un colloque ou un exercice de vulgarisation scientifique.

Enfin, tentez de conserver un équilibre dans votre vie. «Si la solitude ou la frustration vous bouleversent de façon excessive, c'est que vous vous êtes sans doute trop investi. Rappelez-vous que votre vie ne tourne pas qu'autour de votre projet de recherche», conclut avec sagesse Josée Sabourin.

Comment devenir un bon vulgarisateur scientifique?

La vulgarisation scientifique fait partie intégrante de la vie d'universitaire. Que vous soyez au baccalauréat ou sur le point d'obtenir votre titularisation, vous avez la responsabilité de communiquer votre savoir au plus grand nombre.

Pourquoi? «Pour différentes raisons, répond William Raillant-Clark, attaché de presse au Bureau des communications et des relations publiques de l'Université de Montréal. Les médias sont un excellent véhicule pour faire rayonner vos idées ou découvertes, ce qui peut aider à retenir l'attention de vos pairs relativement à votre travail. Voilà pourquoi l'intérêt marqué pour la vulgarisation scientifique est une chose qui est considérée tant par les directeurs de recherche prospectifs que par les bailleurs de fonds.»

Nous vivons à une époque où la science est très présente dans l'espace public, mais où la voix des chercheurs ne se fait pas assez entendre, ajoute-t-il. «Les conséquences peuvent être tragiques. Prenez les dérapages dans le dossier des changements climatiques. Autrement dit, si vous ne parlez pas aux médias, quelqu'un d'autre le fera à votre place.»

Vous désirez diffuser vos connaissances? Les moyens qui s'offrent à vous sont nombreux: médias traditionnels, réseaux sociaux, blogues, conférences publiques, revues de vulgarisation scientifique, débats, etc.

Pour les novices, William Raillant-Clark suggère de commencer par un blogue ou un profil sur un réseau social comme Facebook ou Twitter. «Faciles à créer, ces plateformes constituent une façon prudente de s'initier à la communication scientifique. Vous y partagez vos activités de recherche ou simplement des informations que vous jugez intéressantes. Ce premier pas se fait sans que vous ayez à apporter vos propres commentaires ou interprétations.»

Contrairement aux médias traditionnels, les réseaux sociaux vous permettent de dialoguer avec les utilisateurs. «Vous recevrez des commentaires de collègues et du grand public qui vous aideront à préciser votre propos», dit l'attaché de presse.

Les grands médias

Lorsque vous accordez une entrevue à un journaliste, vous devez avoir de nouveaux réflexes. Pensez en premier lieu aux gens à qui sont destinés vos propos. S'agit-il de monsieur et madame Tout-le-Monde? d'un public averti? d'enfants? Comment s'adresser à eux? «Quand vous communiquez avec le grand public, imaginez que vous vous adressez à votre mère ou à votre grand-mère», conseille William Raillant-Clark.

Peu importe le contexte, inversez la pyramide d'informations à laquelle on vous a habitué pendant votre formation, ajoute-t-il. «Exposez l'élément le plus intéressant de votre propos, celui qui touche directement les gens. Dans le cas d'une recherche, ce sera votre conclusion. Après, vous expliquerez votre hypothèse et votre méthodologie.»

«Aller à l'essentiel et transmettre un seul message, voilà ce que doit faire un bon vulgarisateur scientifique», estime pour sa part

Bernard Motulsky, titulaire de la Chaire de relations publiques et communication marketing de l'Université du Québec à Montréal.

Un truc pour synthétiser votre propos: avant l'entrevue, imaginez le titre que portera l'article ou le reportage pour lequel vous serez interviewé et notez-le. «Gardez cette idée en tête pendant votre entretien, suggère M. Motulsky. Cela vous aidera à ne pas vous éparpiller. Tous ceux qui souhaitent communiquer devraient se rappeler cette phrase: sois bref ou tais-toi! C'est ainsi que vous arriverez à attirer l'attention et, surtout, à la garder.»

Évitez le jargon technique et les concepts. Privilégiez les phrases courtes et les exemples. «Ne parlez pas d'espace ou de hauteur en employant des chiffres exacts, mais avec des images, comme la grandeur d'un terrain de football, recommande Bernard Motulsky. Plus les idées sont simples, plus elles sont faciles à faire passer.»

«Les scientifiques désirent souvent tout expliquer, mais ils oublient que les gens intéressés par leur découverte chercheront forcément à obtenir de plus amples renseignements sur le sujet en surfant sur le Net ou en leur envoyant un courriel», précise William Raillant-Clark.

On vous pose une question qui dépasse votre champ d'expertise? «C'est très simple, assure l'attaché de presse. Vous répliquez simplement que cela ne relève pas de vos compétences.»

Il conseille de ne jamais accepter une demande d'entrevue sans connaître l'identité du journaliste qui conduira l'entrevue. «Faites votre propre recherche. Qui est-il? Pour qui travaille-t-il? A-t-il déjà traité votre sujet et, si oui, comment? Êtes-vous à l'aise avec sa façon de communiquer?»

Si vous avez besoin que quelqu'un vous appuie dans votre démarche, vous pouvez toujours faire appel aux services des communications de votre institution.

Comment écrire
un bon article scientifique?

Dès leur arrivée aux cycles supérieurs, les étudiants apprennent que le succès d'un chercheur se mesure entre autres à sa capacité de publier régulièrement des articles dans des revues scientifiques. «Publier ou périr», affirme le fameux adage.

Les éditeurs reçoivent des centaines de propositions d'articles chaque jour. Comment un étudiant peut-il se détacher du lot? En ayant un bon sujet, mais aussi en suivant la méthode de Linda Pagani. Cette professeure de l'École de psychoéducation de l'Université de Montréal et chercheuse au CHU Sainte-Justine a de nombreuses publications à son actif dans des périodiques prestigieux sur plusieurs sujets en sciences humaines et en médecine.

Son secret? La planification. «J'écris mes papiers en deux semaines, révèle-t-elle. Les meilleurs sont ceux qui sont rédigés de façon intensive.»

Semaine 1: La lecture

Linda Pagani consacre la première semaine à la lecture de tous les articles pouvant l'aider à rédiger le sien. «Ma quête est dirigée par mon objectif de recherche, mentionne-t-elle. Je cible les articles les plus solides provenant des meilleures revues dans le domaine qui m'intéresse.»

Elle recommande aux étudiants de se fier aux publications des sociétés savantes représentant leur discipline, comme l'American Medical Association, parce que «ce sont les exemples à suivre et à citer».

La chercheuse limite son exploration aux cinq dernières années. «Mais je peux remonter 10 ans en arrière si je ne trouve rien.» Généralement, elle sélectionne deux recensions d'écrits et plusieurs articles empiriques. «Gardez toujours votre objectif en tête afin de ne pas vous perdre dans des détails», ajoute-t-elle.

Linda Pagani est alors mûre pour la rédaction. Avant la fin de la semaine, elle met noir sur blanc son objectif de recherche.

Semaine 2: La rédaction

Lundi: Cette journée est consacrée à la méthodologie. «C'est votre premier brouillon, alors ne cherchez pas à polir votre texte dès le départ, rappelle Mme Pagani. Allez à l'essentiel.» Un truc pour surmonter l'angoisse de la page blanche: «Un paragraphe ne nécessite que trois phrases, et une phrase peut ne contenir que cinq mots», signale-t-elle.

Mardi: Rédigez la partie des résultats, tableaux et graphiques compris.

Mercredi: Attaquez-vous à l'introduction. D'abord, le contexte, précise la professeure: «Commencez par un paragraphe d'introduction qui situera le lecteur par rapport au phénomène étudié ou aux gens touchés par ce phénomène.»

Puis rapportez ce qui est connu sur le sujet et comment la science en est arrivée à ces conclusions. Poursuivez avec les problèmes rencontrés dans l'état actuel des connaissances. Avec tact, ajoutez ce qui devrait maintenant être étudié ou quelle nouvelle approche devrait être explorée, avant de dévoiler votre objectif (écrit la semaine précédente!) et vos hypothèses.

Jeudi: Écrivez votre discussion – appelée aussi interprétation, conclusion ou commentaire. «Une erreur fréquente dans cette section est la répétition des résultats, dit Linda Pagani. Débutez plutôt par une phrase-choc, comme celles des communiqués de presse, qui est à la fois vraie et attrayante et qui se concentre sur le lien général unissant vos résultats et le sujet de recherche. Ce petit paragraphe devrait être le seul élément qui ressemble à un communiqué de presse.»

Après, expliquez la signification de chacun des résultats. Si l'espace vous le permet, ajoutez un paragraphe qui résume votre recherche et ce que cette dernière implique pour votre pratique ou les politiques publiques.

Ne reste plus que les limites de votre expérience. «Commencez par une phrase disant que votre recherche comporte des limites et soulignez-en deux», conseille la chercheuse. Formulez à la suite des suggestions en vue de recherches futures.

Vendredi: Listez vos références et polissez votre écriture. «Ne laissez échapper aucune coquille. C'est une erreur impardonnable, selon les éditeurs.» Enfin, rédigez la partie la plus importante de votre manuscrit: le résumé. «À cette dernière étape, il vous sera facile de le faire», indique Mme Pagani.

Le style

Toutes les grandes revues ont une section, sur leur site Web, expliquant leur politique d'écriture. Consultez celle qui vous concerne et appliquez-la en conservant un style concis. Sinon vous risquez de voir votre papier rejeté dès le premier tour.

«Parlez à la troisième personne du singulier ou à la première personne du pluriel, recommande Linda Pagani. N'écrivez jamais "nos résultats", car vous ne pouvez prétendre que ces résultats vous appartiennent.»

La lettre de présentation

Mal rédigée, la lettre de présentation peut compromettre votre soumission. «En une page, vous devez convaincre l'éditeur tout en demeurant humble», déclare la professeure, qui donne sa recette personnelle:

1er *paragraphe*: «Je vous soumets cet article portant sur le sujet X et j'espère que vous le considérerez pour une future publication.»

2e *paragraphe*: Donnez les grandes lignes de votre article sans répéter le résumé officiel.

3e *paragraphe*: Liez votre objectif à la mission de la revue.

4e *paragraphe*: Mentionnez que votre recherche a été approuvée par le comité d'éthique de votre établissement et que votre article est soumis uniquement à cette revue, qu'il ne sera pas envoyé ailleurs tant que l'éditeur ne vous aura pas donné une réponse.

5e *paragraphe*: Le cas échéant, soulignez que les coauteurs ont approuvé la dernière version de votre article.

6e *paragraphe*: Remerciez l'éditeur du temps qu'il accordera à votre demande et indiquez que vous êtes disponible pour répondre à toutes ses questions.

Comment bien se préparer à l'examen de synthèse?

Avant d'amorcer la rédaction de leur thèse, tous les doctorants doivent passer l'examen de synthèse. Cette épreuve est source d'inquiétudes pour plusieurs d'entre eux.

« Ils ont l'impression de s'embarquer dans quelque chose qui leur est inconnu et craignent donc de ne pas réussir l'examen, observe la psychologue en aide à l'apprentissage au Centre étudiant de soutien à la réussite de l'Université de Montréal Josée Sabourin. Cette épreuve est longue et exigeante, mais elle n'est pas si éloignée d'autres examens que les étudiants ont déjà passés. Et ils ont un an ou deux pour s'y préparer. »

Cet examen a deux buts : s'assurer que le candidat maîtrise suffisamment les connaissances générales liées à sa discipline et évaluer la pertinence et la faisabilité de son projet de recherche, ainsi que son degré d'avancement.

Le déroulement de l'examen peut varier. Informez-vous des modalités auprès de votre directeur de recherche. « Souvent, il y a deux parties. La première vise les connaissances générales, et le candidat s'en acquitte à partir d'une liste de lecture ou de questions soumises préalablement. La seconde partie se concentre sur le projet de recherche et implique la rédaction d'un texte assez étoffé», explique Richard Patry, vice-doyen et secrétaire de la Faculté des études supérieures et postdoctorales de l'Université de Montréal.

Le tout sera évalué par un jury de trois professeurs, dont fait partie le directeur de recherche. Un examen oral peut suivre l'épreuve écrite. «Le candidat présentera son projet au jury qui lui posera des questions. Certaines porteront sur la discipline dans son ensemble, d'autres sur les réponses écrites reçues et le projet de thèse», indique Marie Marquis, vice-doyenne de la FESP.

Quelques trucs

Gérez votre anxiété en dédramatisant cette épreuve. «Votre formation est construite pour vous amener naturellement à cette étape, fait remarquer Dania Ramirez, coordonnatrice du secteur soutien à l'apprentissage du Centre étudiant de soutien à la réussite. Un étudiant qui prend au sérieux ses études, qui participe à ses séminaires et qui fait des lectures pertinentes ne devrait pas angoisser.»

Selon Richard Patry, le directeur de recherche joue un rôle important dans cette préparation. «Il doit expliquer clairement à son étudiant les critères d'évaluation de chacune des épreuves et le but de l'examen en général, et veiller à ce que le candidat se donne une cadence raisonnable de préparation.»

Vous aurez avantage à adopter une bonne hygiène de vie. «Dormez suffisamment, nourrissez-vous bien et faites de l'exercice», recommande Josée Sabourin.

«Prévoyez le temps nécessaire pour bien répondre aux questions écrites sans traiter le sujet de manière superficielle, conseille pour sa part Marie Marquis. Soumettez un document bien rédigé et structuré, et surtout sans fautes.»

Quant à l'examen oral, Mme Sabourin propose de procéder à des simulations pour diminuer son stress. «Par ailleurs, informez-vous si vous pouvez apporter papier et crayon lors de l'épreuve et si vous disposez d'un temps de réflexion. Vous pourrez profiter de ce moment pour élaborer un mini-plan de réponse.»

Une autre façon de vous donner quelques minutes pour bien exprimer votre pensée est de reformuler la question posée. «Vous vous assurez par la même occasion d'avoir bien compris ce qu'on vous demande», mentionne Dania Ramirez.

N'exprimez pas de l'impatience ou de l'arrogance pendant l'exposé. «Si vous êtes très nerveux, dites-le et poursuivez, ajoute Marie Marquis. Soyez ouvert aux commentaires et à la critique.»

Enfin, sachez que la majorité des étudiants réussissent l'examen de synthèse. «Le jury peut ajourner l'examen pour une période maximale de six mois s'il considère que des aspects de la prestation sont trop faibles, dit Richard Patry. Pour que le candidat échoue à l'examen de synthèse, il faut que le jury ait la conviction que même ce délai n'apporterait pas une amélioration suffisante pour permettre la réussite de l'examen. Cela peut arriver, mais c'est rare.»

Comment tirer un livre de sa thèse?

Maintenant que vous avez en poche votre diplôme de *Philosophiæ Doctor*, avez-vous songé à donner une seconde vie à votre thèse en la transformant en ouvrage grand public? Votre directeur de thèse a-t-il déjà évoqué cette possibilité au cours de vos rencontres? En tant que nouveau diplômé, cette avenue peut se révéler très intéressante pour vous... dans la mesure où vous acceptez de consacrer encore quelques mois à votre sujet de thèse.

« Une fois la thèse terminée, le vrai travail commence. Il se publie beaucoup de livres chaque année: comment se démarquer? En ayant le souci d'intéresser les lecteurs qui n'ont pas les mêmes préoccupations ni la même perspective qu'un directeur de thèse », confirme Antoine Del Busso, directeur général et responsable de la vente de droits des Presses de l'Université de Montréal (PUM).

Tout d'abord, la responsabilité de communiquer avec un éditeur vous revient. L'inverse se produit rarement. Envoyez votre manuscrit accompagné d'une courte lettre de présentation qui résume le sujet de votre thèse. « Soyez bref, car les maisons d'édition reçoivent de nombreuses propositions et disposent malheureusement de peu de temps, indique Nadine Tremblay, éditrice aux PUM. Nous accusons réception du manuscrit dans les jours qui suivent, mais le processus d'évaluation et d'édition peut parfois prendre de trois mois à un an. C'est le temps nécessaire pour lire le manuscrit, en évaluer la portée et vérifier si un ouvrage semblable n'a pas été lancé récemment – ou ne le sera pas dans un avenir prochain.»

Toutes les thèses ne sont pas publiables. Et ce n'est pas la valeur du fruit de votre doctorat qui est remise en cause, mais plutôt l'attrait que votre livre exercera sur un public plus large.

Sachez que ce même public sera votre préoccupation constante si un éditeur vous prend sous son aile. «Avant, vous vous adressiez à votre directeur de recherche et aux membres du jury de soutenance, rappelle Antoine Del Busso. Vous deviez prouver que vous maîtrisiez votre sujet en présentant une revue de la littérature, des références, des notes de bas de page, des tableaux, etc. Vous aurez à vous délester de ces composantes critiques, car vous serez appelé à transmettre vos connaissances à un public qui tient pour acquis votre compétence à traiter du sujet. C'est tout un changement de perspective.»

Assumez votre propos

Tirer un livre d'une thèse peut exiger plusieurs mois de travail. La première étape consiste à élaguer votre manuscrit original. Attendez-vous à devoir faire des coupes, qui peuvent aller jusqu'au tiers du manuscrit. «C'est un processus difficile, sinon douloureux, reconnaît Nadine Tremblay. Les nouveaux docteurs sont habitués à justifier chacune de leur assertion, ce qu'ils n'ont plus besoin de faire. Ce sont désormais des experts dans leur domaine et ils doivent assumer leur propos.»

Antoine Del Busso conseille pour sa part de miser sur les idées fortes que vous avez souvent gardées pour la conclusion. «Dans un livre, il sera sans doute trop tard: vous aurez perdu votre lecteur. Souvent, il est préférable d'intégrer ces idées à votre introduction.

C'est ainsi que vous convaincrez votre lectorat de l'intérêt de votre ouvrage.»

Après cette transformation suivent plusieurs révisions, la mise en pages, l'impression et la promotion. Encore une fois, lâchez prise. Le réviseur et l'éditeur vous suggèreront des modifications qui ont pour objectif de rendre votre message plus accessible et plus intéressant. «Le message vous appartient, signale Nadine Tremblay, mais vous devez permettre à vos lecteurs de se l'approprier.» Si vous voulez propager les connaissances que vous avez accumulées pendant toutes vos années d'études, vous savez maintenant par où commencer.

Avez-vous le profil
d'un stagiaire postdoctoral?

Le stage postdoctoral est désormais une voie quasi incontournable pour les étudiants qui désirent faire carrière dans le milieu de l'enseignement et de la recherche universitaires.

« La très grande majorité des universités exigent que leurs professeurs aient fait un postdoctorat », observe Richard Patry, vice-doyen et secrétaire de la Faculté des études supérieures et postdoctorales de l'Université de Montréal.

« Ce stage fait de l'étudiant un chercheur autonome et crédible. Ceux qui aspirent à un poste de professeur ne peuvent plus se contenter d'un doctorat », estime pour sa part Mamadou Adama Sarr, président de l'Association des stagiaires postdoctoraux de l'Université de Montréal (ASPUM).

En effet, le stage postdoctoral permet à une personne qui a fait un doctorat de parfaire sa formation en recherche et d'intensifier ses activités de rayonnement scientifique. « C'est comme l'extension de la piste de décollage pour une carrière universitaire », compare

M. Patry. Un stagiaire postdoctoral en sciences pures peut également se voir ouvrir les portes de grands laboratoires privés.

D'une durée de un à cinq ans, le stage s'effectue souvent à l'étranger. «C'est l'occasion d'acquérir une expérience internationale et d'intégrer d'autres réseaux professionnels», remarque Stéphanie Tailliez, conseillère en cotutelle, international et programmes conjoints de la FESP.

Comme dans le cas du compagnonnage, l'étudiant est supervisé par un professeur. «Ce n'est pas un directeur de recherche, signale Richard Patry. Le superviseur est plutôt un guide. Il conseille le stagiaire à propos de la gestion de sa carrière, de la communication de ses travaux scientifiques et de son réseau de relations.»

Évidemment, l'étudiant ne peut effectuer de stage postdoctoral sans qu'un professeur veuille le prendre sous son aile. Ce dernier doit s'assurer d'avoir accès à toutes les installations de recherche pour que ce stage se déroule dans les meilleures conditions et veiller à ce que son protégé bénéficie d'une bourse qui couvrira toute la durée du stage.

C'est au futur stagiaire de communiquer avec le spécialiste de son choix avant de s'inscrire au stage postdoctoral. C'est ce qu'a fait Mamadou Adama Sarr. Diplômé de l'Université Jean Moulin Lyon 3, il a traversé l'Atlantique afin de tirer profit de l'expertise du professeur Christopher Bryant. «Il est une sommité mondiale en matière de développement durable et d'adaptation des activités humaines aux changements climatiques», affirme le stagiaire qui poursuit sa formation dans ce domaine. Comme plusieurs postdoctorants, Mamadou Adama Sarr s'est vu confier des charges de cours. Il participe aussi à l'encadrement d'étudiants au baccalauréat et à la maîtrise.

Au-delà de l'enseignement, le stagiaire postdoctoral cherchera surtout à publier le plus possible dans des revues de renom. «C'est pourquoi cette formation exige une grande autonomie et énormément de persévérance», souligne Stéphanie Tailliez. Ces nombreuses publications conféreront au stagiaire un avantage concurrentiel indéniable sur le marché du travail.

L'argent, le nerf de la guerre

L'avenir de ces étudiants pourrait être compromis en raison de la fiscalisation des bourses postdoctorales, une mesure adoptée en 2010 par le gouvernement fédéral. Cette nouvelle mesure constitue une véritable menace pour la recherche au Canada, selon Richard Patry: «Ce sera beaucoup moins avantageux pour les étudiants étrangers de s'inscrire dans les universités canadiennes. Bien des vocations seront remises en question.» Mentionnons toutefois que les étudiants ne sont pas imposables au provincial.

Plusieurs acteurs du milieu universitaire, dont la FESP et l'ASPUM, s'activent à trouver une autre façon de soutenir les stagiaires postdoctoraux, car «il est peu probable, dans un avenir prochain, que le gouvernement fédéral revienne sur sa décision», croient MM. Patry et Adama Sarr. Bref, un dossier à suivre...

Le monde du travail

Qu'est-ce que le mentorat?

Dans la mythologie grecque, quand Ulysse quitte son royaume pour prendre part à la guerre de Troie, il confie son fils Télémaque à un ami de longue date, Mentor. Ce dernier éduquera et guidera le jeune homme. Ce personnage a donné naissance à une tradition bien ancrée dans le marché du travail d'aujourd'hui: le mentorat.

Les mentors sont des conseillers qui accompagnent bénévolement une personne moins expérimentée ou qui débute dans une fonction.

«Il existe différents types de mentorat», signale Johanne Ricard, coordonnatrice du secteur orientation scolaire et professionnelle du Centre étudiant de soutien à la réussite de l'Université de Montréal.

On trouve des mentors en entreprise, où ils encadrent les nouveaux venus pour faciliter leur intégration et leur transmettre leurs connaissances.

Ce peut aussi être un professeur qui conseille et aide un étudiant dont il juge le potentiel excellent. «Il lui apporte un soutien dans ses recherches ou peut lui proposer des mandats (conférences, charges de cours, etc.)», précise Mme Ricard.

Le mentor est également une personne qui donne un avis éclairé sur sa profession et partage ses expériences, connaissances et idées avec un étudiant qui cherche à confirmer son choix de carrière. Plusieurs universités ont mis sur pied des programmes de mentorat permettant des rencontres entre des professionnels et des étudiants.

Vous pouvez par ailleurs entreprendre vos propres démarches afin d'obtenir l'accompagnement d'un mentor, précise Johanne Ricard. « Sondez alors votre cercle social, dit-elle. Peut-être qu'un de vos proches connaît une personne qui pratique la profession visée. Vous pouvez aussi effectuer une recherche sur le réseau LinkedIn. »

Dans tous les cas, sachez qu'une telle rencontre vous donnera l'occasion de vérifier si vos objectifs professionnels sont en accord avec votre personnalité, vos valeurs et vos attentes, d'explorer la réalité du marché du travail et d'élargir votre vision de la profession. « Le mentor sera en outre de bon conseil quant aux compétences à acquérir », mentionne Mme Ricard.

Francine Audet, conseillère d'orientation au Centre étudiant de soutien à la réussite, rappelle qu'un bon mentor est une personne généreuse et passionnée. « Il ne veut pas uniquement montrer son savoir-faire. Il souhaite surtout accompagner les jeunes dans leur parcours. »

Comment entrer en relation avec un mentor ?

Soyez délicat lors de votre premier contact. Privilégiez le courriel. Écrivez à votre éventuel mentor que vous êtes un étudiant en quête de renseignements et que vous aimeriez bénéficier de son expérience.

« Demandez une rencontre dans son milieu de travail, conseille Johanne Ricard. Cela donne un ton plus professionnel et vous permet de prendre le pouls du terrain. »

Dressez une liste de questions en fonction de vos champs d'intérêt et de vos besoins. « Vous pouvez interroger le mentor sur les débouchés, les conditions de travail, etc. », ajoute Mme Audet.

Soyez diplomate et acceptez les conditions du mentor. «S'il n'a que 30 minutes à vous accorder, prenez-les et respectez cette case horaire», indique Mme Ricard.

Autrefois, le mentorat était considéré comme une relation à long terme. Désormais, une seule rencontre peut suffire à vous éclairer, selon Francine Audet et Johanne Ricard. Si, cependant, vous constatez que vous avez de nombreuses affinités avec votre mentor, n'hésitez pas à lui demander d'autres entretiens.

«Le mentorat se poursuit parfois au-delà des études, ce qui peut être souhaitable en début de carrière. Cette phase de transition n'est pas toujours facile et c'est bien de pouvoir compter sur une personne qui travaille déjà dans le milieu», observe Francine Audet.

Le stage :
comment bien s'en sortir ?

À la fois excitant et stressant, le stage constitue les premiers pas d'un étudiant dans le milieu professionnel de son choix. Certains en sortent exaltés, d'autres déçus. Mais tous vivent des moments d'angoisse à l'idée d'être parachutés dans une organisation et de se voir assigner des tâches pour lesquelles ils ne possèdent pas encore toutes les compétences.

Afin de tirer le maximum de cette expérience, Letitia Alexe et Josée Sabourin, toutes deux psychologues en aide à l'apprentissage au Centre étudiant de soutien à la réussite de l'Université de Montréal, vous donnent huit conseils pleins de sagesse.

Vous êtes en situation d'apprentissage. ■ Une phrase à vous répéter tel un mantra. « Certains étudiants ont des exigences très élevées par rapport à eux-mêmes, constate Letitia Alexe. Ils souhaitent être aussi bons que les professionnels qui exercent depuis plusieurs années. Or, c'est impossible, puisqu'ils sont encore en formation. Ils ont droit à l'erreur. »

Jouez cartes sur table avec votre superviseur. ■ Dès le départ, établissez le nombre de jours et d'heures que vous passerez dans l'organisation, ainsi que les tâches à accomplir en fonction des objectifs de votre programme universitaire. En déterminant de manière claire vos attentes et celles de votre superviseur, vous éliminerez nombre de malentendus. «Informez-vous sur le type de milieu de travail, la clientèle à servir, le déroulement des journées, les dossiers en cours, etc., suggère Josée Sabourin. Cela démontrera votre intérêt pour le stage tout en vous permettant de vous sentir plus à l'aise par rapport au travail qui vous attend.»

Précisez les besoins quant à l'encadrement. ■ Un stagiaire à qui l'on ne demande jamais rien, un autre qui a tant de boulot qu'il n'a même pas le temps de dîner, voilà des situations malheureuses que vous pouvez éviter en discutant de l'encadrement désiré avec votre superviseur. «Les façons d'apprendre sont différentes: certains auront besoin d'une rétroaction fréquente, alors que d'autres voudront de l'espace pour essayer des choses par eux-mêmes», explique Mme Alexe. Et comme vos besoins peuvent évoluer, il est bon de planifier des rencontres hebdomadaires avec votre superviseur pour corriger le tir.

Tenez un journal de bord. ■ «Les stagiaires sont toujours dans l'action, et le journal de bord leur donne l'occasion de réfléchir à leur journée et de se fixer des objectifs pour le lendemain, ce qui permet une adaptation en douceur au milieu de travail, observe Mme Sabourin. Ces notes aident aussi à la préparation des rencontres hebdomadaires avec le superviseur.»

Apprenez à connaître vos collègues. ■ Plusieurs étudiants espèrent que leur stage débouchera sur une offre d'emploi. Pour y arriver, ne misez pas que sur vos performances. «Vos collègues se souviendront surtout de votre personnalité, assure Josée Sabourin. Ils voudront engager une personne agréable, ouverte à la critique, ayant l'esprit d'équipe.» Alors, profitez des dîners et des pauses-café pour créer des liens avec vos collègues!

Soyez professionnel. ■ «Soyez bien mis, arrivez à l'heure, faites preuve de savoir-vivre et exprimez-vous dans un bon français», rappelle Letitia Alexe.

Gardez le contact avec d'autres stagiaires. ■ Le sentiment d'isolement est fréquent chez les stagiaires. Pour le surmonter, retrouvez des collègues de classe qui sont aussi en stage. Ce sera l'occasion de partager vos craintes et frustrations et de vous motiver.

Et si rien ne va? ■ Une mauvaise expérience de stage ne remet pas en cause votre choix de carrière. Vous pouvez même en tirer de précieuses leçons. «Même si c'est difficile, faites un bilan, conseille Josée Sabourin. Pourquoi ce stage est-il un échec? Est-ce en raison du milieu de travail ou de votre attitude? Votre analyse vous aidera à trouver les outils nécessaires pour mieux aborder le prochain stage.»

Les ingrédients d'un bon choix de carrière

Vous adorez les mathématiques mais, à l'université, ce choix ne correspond plus à vos attentes et vous n'avez plus le goût d'approfondir cette matière. Vous avez choisi de faire un certificat en journalisme, mais inexplicablement vous ne vous sentez pas dans votre élément. Vous étiez persuadé que vous étiez fait pour être psychologue, mais les bonnes notes ne sont pas au rendez-vous.

Ces scénarios vous sont-ils familiers? Si oui, il est temps de revoir votre orientation de carrière. Une décision fort complexe qui demande de la maturité et de la réflexion. «D'autant plus que les parcours professionnels d'aujourd'hui ne sont plus linéaires et que le monde du travail offre toujours plus de possibilités aux jeunes», remarque Johanne Ricard, coordonnatrice du secteur orientation scolaire et professionnelle du Centre étudiant de soutien à la réussite de l'Université de Montréal.

Une telle décision implique une connaissance suffisante de soi, du monde scolaire, du marché du travail et des limites que peut vous imposer votre situation socioéconomique, géographique, familiale...

«Bref, c'est comme acheter une voiture ou une maison. Avant d'arrêter votre choix, vous évaluez vos besoins, vos désirs et votre budget», résume France Dodier, conseillère d'orientation au Centre étudiant de soutien à la réussite.

Johanne Ricard et France Dodier ont établi la liste des «ingrédients» d'un bon choix de carrière. Il faut avant tout être conscient qu'il y a un problème. Plus facile à dire qu'à faire, n'est-ce pas? Et pourtant, retarder ce moment ne vous créera que des ennuis. «Plus l'inconfort persiste, plus l'anxiété augmente», souligne Mme Ricard.

Que vous entrepreniez cette démarche seul ou aidé d'un conseiller d'orientation, vous devez être prêt à y consacrer du temps et des efforts. «C'est long, difficile et même dérangeant parfois», indique Mme Dodier. La récompense n'en sera que plus grande!

Commencez par cibler vos champs d'intérêt, vos valeurs, vos besoins, vos aptitudes et vos habiletés. Déterminez ce que vous aimez et n'aimez pas, et tentez de définir vos limites. «Faites preuve d'une grande honnêteté envers vous-même, conseille Johanne Ricard. Par exemple, ne mentionnez pas l'environnement comme une valeur importante si vous ne faites rien pour le préserver. N'hésitez pas à discuter avec votre entourage en gardant à l'esprit que cette décision demeure la vôtre.»

Explorez par la suite les possibilités de formation et d'emploi qui correspondent à votre profil en consultant des banques de données comme *Repères*. «Vous pouvez aussi valider votre projet en rencontrant des professionnels qui travaillent dans le domaine visé ou des étudiants qui ont entamé le programme choisi, ajoute Mme Ricard. Posez-leur vos questions. Quelles sont les exigences de cette formation? Le programme est-il contingenté? Quelles sont les tâches, les conditions de travail et les perspectives d'avenir dans ce secteur? Dénichez les aspects moins connus de la profession. Allez même plus loin: faites des activités ou des stages liés à ce métier.

C'est en allant sur le terrain que vous saurez si ce choix de carrière vous plaît réellement.»

Dans cette quête, vous serez à l'occasion rattrapé par la réalité: votre cote R n'est pas suffisante, le salaire est moins élevé que prévu, les débouchés sont restreints. Mme Dodier mentionne que les peurs et les craintes peuvent se transformer en obstacles. D'autres fois, vous aurez l'impression d'avoir trop de choix qui s'offrent à vous et vous vous sentirez perdu. Continuez malgré l'ambiguïté; c'est une étape normale du processus de prise de décision.

Dans ces moments de doute, demeurez curieux et ouvert d'esprit. Laissez place à la créativité et... à l'intuition! «La tête est importante, mais le cœur l'est tout autant», observe Johanne Ricard.

Pour un deuxième choix de programme stratégique

Les dates limites pour déposer votre demande d'admission en prévision de la session d'automne arrivent-elles à grands pas? Bien entendu, vous convoitez un programme en particulier, celui qui constituera votre premier choix. Mais, pour un trimestre donné, vous avez la possibilité d'inscrire deux autres programmes par ordre de préférence. Qu'en est-il de ceux-ci? Y avez-vous songé?

Selon Johanne Ricard, cette étape n'est pas à négliger. «Si vous n'obtenez pas votre premier choix à cause de vos notes, mais que vous êtes accepté dans un deuxième programme que vous avez sélectionné sans trop y penser, vous vous piégez vous-même, observe la coordonnatrice du secteur orientation scolaire et professionnelle du Centre étudiant de soutien à la réussite de l'Université de Montréal. Vous serez obligé d'investir du temps et de l'argent dans des études qui, peut-être, n'auront pas de sens pour vous. Cela pourrait engendrer de la démotivation et une baisse du rendement scolaire.»

Bref, votre deuxième choix est aussi important que le premier. C'est pourquoi vous devez user de stratégie avant de l'inscrire sur votre formulaire. «Vous devez élaborer un plan B de manière réfléchie», résume Janique Gagnon, conseillère en orientation au Centre étudiant de soutien à la réussite.

1re stratégie: choisir un programme connexe

Votre deuxième choix doit viser la transition, c'est-à-dire un programme qui correspondra à vos champs d'intérêt et vous permettra d'augmenter votre cote de rendement universitaire en vue d'une seconde demande d'admission pour atteindre votre objectif initial.

En effet, à votre prochaine demande, vous serez jugé en fonction de votre relevé de notes universitaire. D'où l'importance de vous démarquer par rapport à la moyenne du groupe. Avec l'aide d'un conseiller en orientation, vous évaluerez vos chances d'entrer dans ce programme et de le réussir, tout en tenant compte des arrangements à faire pour atteindre votre but. Ce n'est pas un chemin facile, car il vous faut aimer ce programme afin de conserver votre motivation.

2e stratégie: trouver un compromis

Idéalement, le programme sélectionné devra vous satisfaire à long terme et vous ouvrir les portes d'une carrière à la mesure de vos attentes... tout en vous permettant de conserver un bon dossier scolaire si jamais vous refaites une demande pour votre premier choix.

«En décortiquant les raisons qui motivent votre premier choix, vous découvrirez une foule de possibilités, estime Johanne Ricard. Demandez-vous pourquoi vous désirez suivre ce programme. Qu'est-ce qui vous attire? Dans quel autre programme pouvez-vous exercer un rôle semblable?»

Il y a des milliers de demandes par année dans les facultés de droit de la province! Si ce programme vous plaît, mais que vous estimez avoir peu de chances d'y être admis, regardez du côté des études en relations industrielles si l'aspect juridique vous attire. Si la justice sociale et la relation d'aide vous tiennent à cœur, le travail social peut se révéler être une autre option intéressante.

«Et ne jugez pas une discipline par la seule description de son programme, conseille Mme Ricard. Allez sur le terrain, questionnez des professionnels.»

3e stratégie: emprunter une autre voie

Si vous décidez d'explorer de nouvelles avenues, seul ou avec un conseiller en orientation, n'hésitez pas à vous tourner vers des domaines qui n'ont aucun lien avec votre premier choix, mais qui éveillent en vous une certaine curiosité et qui répondent à vos critères et à vos attentes professionnelles.

«Il y a une part de renoncement dans cette stratégie, admet Janique Gagnon. Il faut faire le deuil de son premier choix. Mais sachez qu'il n'y a pas qu'une seule carrière idéale.»

«Et qui sait, peut-être que des goûts insoupçonnés naîtront de cette démarche, et votre deuxième choix finira bien par devenir votre premier...», signale Johanne Ricard.

Choix de carrière : comment combattre le stress et l'indécision ?

Certains semblent savoir dès la maternelle le métier qu'ils exerceront plus tard et ne démordent jamais de leur idée. Pour d'autres, la réponse est moins claire. Trop de types de professions les intéressent. Ils ont peur de décevoir leurs parents. Ils craignent de se tromper de voie. Plus le temps passe, plus ils sont indécis et stressés quant à leur choix de carrière. Comment sortir de ce cercle vicieux ? En recourant à l'approche émotivo-rationnelle.

« Cette théorie, élaborée par le psychologue américain Albert Ellis, propose que les émotions d'un individu sont liées aux pensées qu'il entretient. Les "idées irrationnelles" entraînent souvent des débordements émotifs. Cela influence négativement notre façon de percevoir le monde et nous paralyse », explique Christiane Viens, conseillère d'orientation au Centre étudiant de soutien à la réussite de l'Université de Montréal.

Par exemple, une personne qui reprend ses études hésite à s'inscrire en médecine, car elle craint de ne pas être capable de demeurer longtemps sur les bancs d'école. Elle se met ainsi une grande pression sur les épaules. L'approche émotivo-rationnelle l'amènera à nuancer son raisonnement et, au bout du compte, à prendre une décision. Elle pensera alors en ces termes: «Il se peut que je sois encore à l'université dans 10 ans, mais, au moins, ce sera dans un programme qui correspondra réellement à ce que je suis et à ce que je veux.»

«Parfois, il ne suffit plus de méditer ou de faire des exercices de respiration pour se calmer, dit Mme Viens. On a une réelle emprise sur son stress en puisant dans ses ressources intérieures pour agir sur ses pensées.»

Le processus par lequel on met fin à l'indécision grâce à l'approche émotivo-rationnelle se déroule comme suit:

1. Un fait survient: vous devez choisir un programme universitaire.

2. Vous entretenez des pensées irrationnelles: vous croyez que vos parents vont vous juger.

3. Vous vivez des émotions désagréables comme le stress et le doute.

4. Vous confrontez vos croyances et tentez de modifier votre langage intérieur. Sur quoi vous basez-vous pour dire que vos parents vous jugeront? Pourquoi leur approbation est-elle si importante? Arrivez-vous à vous faire plaisir avant de chercher à satisfaire vos parents?

5. De nouvelles émotions peuvent alors surgir: moins anxieux, vous pouvez enfin prendre votre décision.

Les facteurs de stress

Les causes de l'anxiété liée au choix de carrière sont nombreuses et diverses. Les cerner vous aidera à dissiper votre anxiété.

Le contexte décisionnel et la perception que vous en avez peuvent modifier votre état d'esprit. Subissez-vous des pressions sociales, familiales ou économiques? Ces influences sont-elles réelles ou amplifiées? Vous sentez-vous pressé d'agir? Pourquoi une telle hâte?

La peur est par ailleurs récurrente dans le phénomène de l'indécision. Les perfectionnistes craignent de se tromper; les pessimistes appréhendent l'échec; ceux qui veulent tout contrôler ont peur de l'inconnu; enfin, plusieurs ne veulent pas déplaire.

Certains étudiants croient leur choix irréversible. «Ils ont l'impression de prendre une décision pour la vie, remarque Mme Viens. Mais ce n'est pas comme avoir un enfant. S'ils changent d'idée un jour, ils ne recommenceront pas à zéro, puisqu'ils auront acquis des compétences qui leur sont propres. Au contraire, ils avanceront. Pour le moment, ils doivent baser leur choix sur leurs valeurs et leurs préférences actuelles.»

«Le choix de carrière n'est qu'une des nombreuses décisions qu'une personne prend au cours de son existence, souligne Christiane Viens. Se livrer à cet exercice est une leçon pour la vie. Rappelez-vous toujours ceci: une décision implique forcément un risque dont il faut assumer les conséquences.»

Du CV universitaire au CV professionnel

Faire carrière à l'université relève du parcours du combattant. La rareté des postes de professeurs en décourage plus d'un. C'est pourquoi des doctorants et des stagiaires postdoctoraux se tournent vers le milieu professionnel.

Cependant, toutes ces années passées à faire de la recherche finissent parfois par les desservir quand ils se mettent à chercher un emploi. « Ils sont des experts dans leur domaine, mais le marché du travail est une jungle pour eux », estime Angélique Desgroseilliers, conseillère au secteur de l'emploi du Centre étudiant de soutien à la réussite de l'Université de Montréal.

Plusieurs enverront des curriculum vitæ typiquement universitaires où ils listent leurs diplômes, publications, expériences d'enseignement, conférences et bourses sur des pages et des pages. Un document trop long et trop technique pour un employeur qui consacre moins d'une minute à évaluer chacun des centaines de CV qu'il reçoit.

« Ce n'est pas évident pour eux de constater que certaines informations contenues dans leur CV n'ont plus d'importance en dehors du milieu universitaire », remarque Serge Gagné, directeur de la section placement du Service des stages et du placement de l'Université de Sherbrooke.

Après avoir lu un tel CV, on pensera sans doute que vous êtes trop qualifié pour occuper l'emploi convoité, observe Mme Desgroseilliers. «Les employeurs croient souvent que le postulant exigera un salaire plus élevé ou quittera la compagnie après quelques mois en quête de défis à sa mesure», ajoute-t-elle.

D'où l'importance de savoir adapter votre candidature en fonction des besoins de ces employeurs. Cela commence dès vos premières années d'études.

«Un diplôme ne garantit pas un emploi, c'est pourquoi tous les étudiants devraient avoir un plan B, affirme la conseillère. N'attendez pas le dépôt de votre thèse pour explorer les offres d'emploi dans votre secteur. Questionnez-vous sur vos intentions professionnelles. Repérez des postes et des employeurs qui vous intéressent. Faites des stages dans ces entreprises même s'ils ne sont pas crédités. Vous y acquerrez d'autres compétences et profiterez de ces occasions pour élargir votre réseau de relations.»

Demandez des entrevues d'information auprès de personnes occupant les types d'emplois que vous convoitez. «Peut-être qu'elles pourront jeter un œil sur votre CV et vous indiquer par où commencer, qui appeler, quoi faire et quoi dire», mentionne Angélique Desgroseilliers. Tout cela vous amènera à produire un CV qui saura retenir l'attention. «C'est un document de vente qui doit vous permettre d'accéder à l'étape de l'entrevue d'embauche», rappelle Serge Gagné.

Personnalisez votre CV selon l'emploi visé. Dans ce cas, ne pas tout dire n'est pas mentir. Sélectionnez parmi vos réalisations et vos compétences celles qui font écho aux tâches et aux responsabilités décrites dans l'offre. «Laissez tomber le jargon propre à votre domaine de recherche et adoptez un langage accessible», précise

Mme Desgroseilliers. Cernez vos compétences transférables et décrivez-les de façon que n'importe qui puisse les comprendre. Utilisez des termes tels que «coordination», «encadrement», «gestion de projet», «organisation» et «supervision».

Au lieu d'énumérer de façon exhaustive vos réalisations en recherche, résumez-les dans un paragraphe consacré aux compétences. «Inscrivez, par exemple, que vous avez publié 10 articles dans des revues scientifiques internationales et donné 4 conférences à l'étranger, sans entrer dans les détails», explique Serge Gagné.

N'hésitez pas à mentionner des emplois d'été, des passe-temps ou des activités bénévoles liés à l'offre d'emploi. «Les CV les plus faciles à adapter sont ceux d'étudiants qui s'engagent socialement et qui consacrent du temps à d'autres passions que celle qu'ils vouent à la recherche», note Angélique Desgroseilliers.

En montrant des intérêts variés, «vous donnez une image qui transcende le stéréotype du chercheur universitaire, encore vu à tort comme un être antisocial, surspécialisé, confiné à son laboratoire», selon M. Gagné.

Parfois, il vaut mieux passer sous silence certains détails. «Je comprends que les étudiants soient fiers de pouvoir accoler le fameux "Ph. D." à leur nom, mais il est préférable de l'omettre quand l'offre d'emploi exige seulement un diplôme universitaire de premier cycle», assure Mme Desgroseilliers.

Elle poursuit: «Considérez-vous comme un professionnel qui a des compétences et des connaissances à offrir. Faites confiance à votre parcours et à votre personnalité, et pas seulement à votre diplôme.»

Comment trouver un emploi grâce aux médias sociaux?

Les petites annonces et le bouche à oreille sont toujours utiles pour trouver un emploi. Une autre stratégie commence toutefois à faire ses preuves, celle des médias sociaux. Une enquête de l'Indice Kelly sur la main-d'œuvre mondiale menée en 2011 auprès de 97 000 personnes de 30 pays révèle que 24% des répondants se servent de Facebook, de LinkedIn et de Twitter pour dénicher des occasions d'emploi ou d'avancement professionnel.

«Les réseaux sociaux sont devenus une extension des réseaux professionnels traditionnels. Il est logique que les travailleurs y aient recours», remarque la conseillère en emploi du Centre étudiant de soutien à la réussite de l'Université de Montréal Angélique Desgroseilliers.

«C'est un outil incontournable de la recherche d'emploi des années 2000», affirme Caroline Blanchette, qui est aussi conseillère en emploi, pour sa part au Centre de gestion de carrière de l'École des sciences de la gestion de l'Université du Québec à Montréal.

Que vous soyez à la recherche d'un emploi d'été, d'un stage ou d'un travail dans votre domaine d'études, sachez que le but premier de votre présence virtuelle est d'afficher une image professionnelle positive. «L'obtention d'un poste n'est pas garantie par votre seule adhésion aux réseaux sociaux, mentionne Mme Desgroseilliers. Ne quémandez pas d'emploi! Cherchez plutôt à vous constituer un réseau de relations, à vous présenter comme une personne ayant des compétences et des champs d'intérêt précis, bref à vous rendre visible. Les propositions de collaboration professionnelle suivront sans doute.»

Cela vous permettra de déjouer le «marché caché de l'emploi», selon Mme Blanchette. «Environ 65% des postes offerts ne sont pas ouvertement affichés, indique-t-elle. Participer aux médias sociaux augmente votre visibilité et votre crédibilité auprès des recruteurs et des chasseurs de têtes. C'est ainsi que vous aurez accès au marché caché.»

Facebook: soignez votre réputation numérique

Qui dit image positive dit forcément prudence. «Même si vous n'êtes pas à la recherche d'un emploi, faites attention à ce que vous diffusez», conseille Angélique Desgroseilliers. Cela est particulièrement vrai sur Facebook, un réseau surtout utilisé à des fins personnelles, mais qui n'en est pas moins consulté par les employeurs.

Apprenez à bien exploiter ses nombreux paramètres de confidentialité. Vous pourrez ainsi donner accès à certaines données uniquement à vos amis et parents, à l'abri des regards des recruteurs. Soyez aussi vigilant quant aux photos et aux vidéos diffusées par vos amis sur lesquelles vous apparaissez. S'il le faut, demandez-leur de ne pas vous identifier.

«Vous ne subissez pas les réseaux sociaux, vous en contrôlez le contenu», rappelle Mme Desgroseilliers.

LinkedIn: le plus professionnel des réseaux

Cette plateforme a vu le jour spécifiquement pour faciliter les relations entre les professionnels. Son fondateur Reid Hoffman a d'ailleurs déjà dit: «MySpace, c'est le bar, Facebook, c'est le barbecue au fond du jardin, et LinkedIn, c'est le bureau.» Ce site est très consulté par les recruteurs.

«Ne vous contentez pas d'y inscrire votre emploi actuel, avertit Caroline Blanchette. Donnez plutôt une bonne idée de qui vous êtes en ajoutant vos expériences passées et les compétences que vous y avez développées, vos intérêts, votre implication sociale, etc.»

Comme dans un curriculum vitæ, choisissez les mots clés qui décrivent vos compétences et vos préférences avec soin. Elles doivent toujours se rapporter au milieu professionnel que vous visez. «Ces mots clés vous aideront à vous démarquer dans les recherches effectuées par les recruteurs», déclare Mme Blanchette.

Elle ajoute que LinkedIn est aussi un excellent outil pour faire un suivi auprès d'employeurs rencontrés dans des salons de l'emploi ou des cinq à sept: «En adhérant à leur profil, vous pourrez leur envoyer plus aisément une petite note de remerciement. De leur côté, les employeurs auront une meilleure idée de votre candidature et pourront vous conserver comme contact.»

Vous pouvez également vous inspirer des profils de personnes œuvrant dans votre domaine. «Leurs compétences et leur parcours vous donneront une bonne idée de ce qui peut vous attendre», affirme Caroline Blanchette.

LinkedIn, tout comme Facebook, offre la possibilité d'adhérer à des groupes d'intérêts professionnels. N'hésitez pas à en faire partie. De cette façon, vous élargirez votre réseau de relations.

Twitter : gazouillez de façon crédible

De plus en plus populaire, cette plateforme de microblogage est simple d'utilisation et vous permet de partager des hyperliens, des renseignements et des opinions sur votre secteur d'activité. Vous mettrez ainsi en valeur vos compétences, votre dynamisme et surtout votre crédibilité. Publiez donc des gazouillis rédigés dans un français irréprochable que vous ne seriez pas gêné de montrer à un futur patron !

Angélique Desgroseilliers observe que Twitter carbure aux échanges. « Pour recevoir, vous devez aussi donner. Diffuser des renseignements sur ses abonnés est un bon moyen d'obtenir des retours d'ascenseur de leur part. »

Abonnez-vous au fil Twitter des employeurs qui vous intéressent. Vous pourrez avoir accès à des offres d'emploi qui ne sont pas affichées ailleurs. Cela vaut aussi pour LinkedIn et Facebook.

Enfin, gardez en tête que, même si vous décrochez un poste, vous devez poursuivre la mise en valeur de votre profil numérique. « Votre carrière est en constant développement. Il en va de même pour votre réseau », indique Mme Desgroseilliers.

Comment se préparer pour une entrevue?

Ça y est: votre curriculum vitæ a retenu l'attention d'un employeur et vous êtes convoqué à une entrevue. Stressé? C'est normal. Dites-vous cependant que vous avez parcouru la moitié du chemin. «Les recruteurs ont estimé votre CV suffisamment intéressant pour vous rencontrer. Cette reconnaissance devrait vous enlever un peu de pression», signale Nancy Moscato, conseillère en emploi au Centre étudiant de soutien à la réussite de l'Université de Montréal.

Mais ce n'est pas une raison, prévient-elle, pour vous reposer sur vos lauriers. Une entrevue nécessite une préparation. «Certains misent beaucoup sur le fait qu'ils sont à l'aise en société. Mais il ne s'agit pas d'improviser quand on tente de convaincre qu'on peut remplir un mandat. Il faut avoir en tête des arguments solides.»

Savoir, savoir-faire, savoir-être

Selon Mme Moscato, vous devez à la fois bien vous connaître et décortiquer l'offre d'emploi, c'est-à-dire déterminer «en quoi il y a une adéquation entre vos ressources et les exigences du poste».

Sachez que la plupart des questions qui vous seront posées tourneront autour de votre savoir, de votre savoir-faire et de votre

savoir-être, autrement dit autour de vos connaissances, de vos aptitudes et de vos qualités personnelles. Voilà pourquoi on vous demandera à coup sûr de vous décrire en quelques minutes, de nommer vos
qualités, vos défauts, ce qui vous distingue des autres candidats, etc.

Pour vous aider à préparer vos réponses, cernez les mots clés
dans l'offre d'emploi. On exige des capacités organisationnelles ?
Montrez votre leadership, votre habileté à gérer le temps et le stress,
ainsi que votre goût pour le travail en équipe. Et appuyez vos dires
par des exemples concrets. «C'est souvent là que le bât blesse»,
remarque Nancy Moscato.

En ciblant des expériences passées liées à l'emploi convoité, dit-
elle, vous pourrez également répondre plus facilement aux questions
d'ordre comportemental qu'on pose de plus en plus souvent en
entrevue. «On vous demandera de raconter comment vous avez géré
un conflit avec un collègue. Le recruteur peut aussi faire appel à une
mise en situation à laquelle vous devrez réagir.»

Vos faiblesses

Étant au début de votre carrière, vous avez sans doute l'impression
qu'il vous manque un certain bagage professionnel. Misez alors sur
des aptitudes acquises pendant votre parcours. Parlez, par exemple,
des habiletés relationnelles que vous avez développées lors de votre
passage à l'association étudiante de votre faculté.

Si vous avez des lacunes, n'hésitez pas à les mentionner, tout
en vous assurant qu'elles ne menacent pas vos chances d'obtenir le
poste. «Donnez-leur une touche positive, conseille Mme Moscato.
S'il est question de bilinguisme, dites que vous lisez et comprenez
l'anglais, mais que vous êtes un peu rouillé en ce qui a trait à la communication et que vous êtes en train de vous y remettre.»

Savoir-vivre

La première impression est souvent la bonne, surtout en entrevue. Arrivez donc à l'heure, soyez vêtu de façon appropriée – une tenue classique aux couleurs sobres –, éteignez votre cellulaire, donnez des réponses courtes, concises et claires, et gardez un contact visuel avec le recruteur ou les membres du comité de sélection.

Et relativisez pour mieux vous détendre. «Votre premier objectif n'est pas tant de décrocher l'emploi que de vous démarquer des autres candidats, affirme Nancy Moscato. On peut très bien vous refuser le poste tout en conservant votre CV pour un autre mandat. Vous pouvez aussi avoir laissé une telle impression que le recruteur n'hésitera pas à transmettre votre candidature à un autre service.» Bref, un refus n'est pas toujours une mauvaise chose!

La conseillère invite les candidats à s'auto-évaluer sitôt l'entrevue terminée. «Vous pourrez ainsi vous améliorer en vue d'un autre processus de sélection», assure-t-elle.

Table des matières